中华人民共和国建设部

职业技能岗位标准
职业技能岗位鉴定规范
职业技能岗位鉴定试题库

假 山 工

中国建筑工业出版社

中华人民共和国建设部
职业技能岗位标准
职业技能岗位鉴定规范
职业技能岗位鉴定试题库
假 山 工
*
中国建筑工业出版社出版、发行（北京西郊百万庄）
各地新华书店、建筑书店经销
北京建筑工业印刷厂印刷
*
开本：787×1092毫米 1/32 印张：2⅞ 字数：62千字
2002年10月第一版 2012年6月第三次印刷
定价：**12.00**元
统一书号：15112·10663

（邮政编码 100037）
本社网址：http://www.cabp.com.cn
网上书店：http://www.china-building.com.cn

前　言

为了促进建设事业的发展，加强建设部系统各行业的劳动管理，广泛开展职业技能岗位培训和鉴定工作，提高职工队伍素质，我们根据建设部印发的《职业技能岗位标准》、《职业技能岗位鉴定规范》、《职业技能岗位鉴定试题库》及各地工人学习、培训、鉴定工作的实际需要，组织编辑了《职业技能岗位标准、鉴定规范、鉴定试题库》系列丛书，按每个职业岗位印刷成单行册。

各地区在使用过程中，严禁翻印。发现不妥之处，请提出宝贵意见。

建设部职业技能岗位鉴定指导委员会

2002 年

目　录

关于颁发木工等40个《职业技能标准》的通知

根据近年来新技术、新工艺、新材料、新设备以及科学技术等方面情况的变化，按照《中华人民共和国工种分类目录》中所列的建设行业工种范围，我部组织对木工等40个工种的工人技术等级标准进行了修订，并根据目前的实际情况，更名为“职业技能标准”本标准业经审定，现颁发试行。试行过程中的有关情况、问题和建议，请函告建设部人事教育劳动司。

原城乡建设环境保护部1988年和建设部1989年颁发的《土木建筑工人技术等级标准》JGJ42—88、《安装工人技术等级标准》JGJ43—88、《机械施工工人技术等级标准》JGJ44—88、《建筑制品工人技术等级标准》JGJ45—88、《市政工程施工、养护及污水处理工人技术等级标准》CJJ18—88及CJJ26—89中《电梯安装维修工工人技术等级标准》自新标准发布之日起停止使用。

中华人民共和国建设部

1996年2月17日

关于颁发古建彩画工等8个工种（岗位）的《职业技能岗位标准》、《职业技能岗位鉴定规范》和《职业技能鉴定试题库》的通知

建人教［2002］216号

为满足古建筑行业开展职业技能岗位培训与鉴定工作需要，提高职工队伍素质，我部对现行古建彩画工、古建木工、古建瓦工、古建油漆工和假山工的工人技术等级标准进行了修订；同时根据古建筑行业的特性，将原古建油漆工、古建木工、古建瓦工分南方地区和北方地区分别进行编制，并更名为《职业技能岗位标准》。根据修订后的标准，我部组织编制了古建彩画工等8个工种（岗位）的《职业技能岗位鉴定规范》和《职业技能鉴定试题库》。经审定，现予颁发试行。试行中有何问题和建议，请及时告我部人事教育司。1989年建设部颁发的古建筑工人技术等级标准停止执行。

中华人民共和国建设部

2002年8月26日

第一部分
假山工职业技能岗位标准

1. 专业名称：园林

2. 岗位名称：假山工

3. 岗位定义：运用传统工艺，通过绮、垫、挑、压、掇等手法，将湖石、黄石等材料叠置成模拟自然山水的假山，以供观赏，美化环境。

4. 适用范围：人工假山制作。

5. 技能等级：初、中、高三级。

6. 学徒期：两年，其中培训期一年，见习期一年。

一、初级假山工

知识要求（应知）

1. 了解常用石料的名称、产地。

2. 鉴别石质优劣和纹理知识。

3. 掌握常用工具的名称、种类、用途及维修保管方法。

4. 各种绳扣的联结和滑轮应用原理。

5. 熟悉安全操作规程。

操作要求（应会）

1. 看懂单体假山的示意图和施工图。

2. 在中高级工带领下，进行假山的堆叠、镶石、勾缝等操作。

3. 按各种石料形态计算重量，正确掌握石料的起吊点。

4. 各种绳扣的正确应用，并加以定位、固定。

5. 对一般危险的假山，在中、高级工指导下进行排险和修复。

二、中级假山工

知识要求（应会）

1. 掌握一般常用石料的特征、艺术要求、选石和相石的知识。

2. 看懂组合假山群的图纸，熟悉假山艺术处理手法。

3. 掌握各类土质的承载能力及基础处理方法。

4. 熟悉各类假山的造型特点和施工方法。

5. 熟悉吊装知识。

6. 掌握高中（或技工学校）应用数学和力学方面的常识应用。

操作要求（应会）

1. 根据不同的土质做出各类假山基础的施工方案。

2. 掌握假山的拆、掇、剁、挑、压等操作技术和相石要领，并能指挥班组对护坡、驳岸、花台、峰石等施工，确保安全生产。

3. 在高级工指导下应用各种石类按设计要求堆叠峰、洞、峦、瀑布等各种造型假山。

4. 处理较复杂和危险假山的修复工程，正确使用各种支撑安全保护措施。

5. 独立组织单体、单景和中型组合假山的施工，估算工料。

三、高级假山工

知识要求（应知）

1. 古旧假山的堆叠手法和它的艺术特征。

2. 自然山水造型特征，掌握不同山体形状、纹理、走向和一般透视原理，简练地再现于自己的作品。

3. 假山和周围环境、建筑形式、绿化布局、风景点的配合要求。

4. 掌握复杂假山的组合受力情况和特殊受力处理方法及它的构造要求。

5. 中国造园艺术、美术绘画、文物保护的知识。

操作要求（应会）

1. 根据设计要求，能绘制大型假山施工分部结构草图和制作施工用模型。

2. 组织大型假山的施工，编制方案和估算工料。

3. 对已废毁的假山，根据历史文字记载提出按原貌修复方案和措施。

4. 解决各类假山工程施工中的技术关键问题。

5. 能收集整理和总结技术资料。

6. 对初、中级工示范操作，传授技能，解决本工种操作中的疑难问题。

7. 采用机械设备，指挥吊装较大的假山石。

第二部分
假山工职业技能岗位鉴定规范

第一章　说　　明

一、鉴定要求

1. 鉴定试题符合本工种岗位鉴定规范内容。

2. 职业技能岗位鉴定分为理论考试和实际操作考核两部分。

3. 理论部分试题分为：是非题、选择题、计算题和简答题。

4. 考试时间原则上理论考试时间为 2 小时，实际操作考试的时间应视考核具体内容而定，两项考试均实行百分制。

5. 理论考试和实际操作考核成绩均达到 60 分以上为技能鉴定合格。

6. 技能鉴定与道德鉴定、业绩鉴定均合格才能视为岗位鉴定合格。

二、申报条件

1. 申请参加初级工岗位鉴定的人员须具备或相当于初中以上的文化程度，从事本工种工作两年以上，或经正规培训机构培训的本专业（工种）的毕业生（培训期一年以上)。

2. 申请参加中级工岗位鉴定的人员须具有初级岗位证书，且在初级岗位工作 3 年以上。或经评估合格的中等专业学校、技工学校、职业学校的本专业（工种）的毕业生且持有初级《技术等级证书》者。

3. 申请参加高级工岗位鉴定的人员须具有中级岗位证书，且在中级岗位上工作 5 年以上，或经评估合格的中等专业学校、技工学校、职业学校的本专业（工种）的毕业生、持有中级《技术等级证书》且在中级岗位工作 3 年以上者。

三、考评员构成及要求

1. 考评员必须是经国家批准的职业鉴定所认定或经省、市劳动部门（工考部门）培训合格的获得资格证书的中级以上专业技术职称或本专业高级工以上者。

2. 考评员需熟悉、掌握本专业技能鉴定规范的内容。

3. 考评员的人数组成可由当地劳动部门或工考部门按实确定。理论部分考评员原则上按每 15 名考生配备一名考评员，即：15:1；操作部分考评员原则上按 5 名考生配备一名考评员，即 5:1。

四、工具设备要求

1. 常用制作假山的工具；

2. 常用制作假山的机械设备。

第二章 岗位鉴定规范

第一节 道德鉴定规范

一、本标准适用于从事园林假山工程施工的所有初、中高级工的道德鉴定。

二、道德鉴定采取被鉴定人所在单位对其品行作风、道德表现出具鉴定意见的形式进行。

三、道德鉴定的内容主要包括，遵纪守法（建筑法、劳动法、合同法等法律、法规，国家的有关政策），恪守职业道德，执行本工种各项技术安全操作规程及有关单位的规章制度。具有良好的敬业精神及刻苦钻研技术的精神。

四、职业道德鉴定也可由考工部门采取笔试的形式进行，考评结果 60 分以下为不及格，60～79 分为合格，80～89 分为良，90 分以上为优。

第二节 业绩鉴定规范

一、本标准适用于从事园林假山工程施工的所有初、中、高级工的业绩鉴定。

二、业绩鉴定由被鉴定人所在单位对其工作考核的基础上，针对所完成的工作任务，采取定量为主，定性为辅的形式进行。

三、业绩鉴定的内容主要包括，完成生产任务的数量和质量，解决生产工作中技术业务问题的成果，传授技术经验的成绩以及安全生产情况。

四、业绩鉴定由所在单位负责，考核结果分为优、良、及格、不合格，60分以下为不及格，60～79分为合格，80～89分为良，90分以上为优。

第三节　技能鉴定规范

一、初级工

（一）技能鉴定规范的内容

项　目	鉴定范围	鉴　定　内　容	鉴定比重	备注
知识要求			**100%**	
基本要求 25%	1. 识图 17%	（1）看懂与本专业有关的简单的叠石图纸	7%	熟悉
		（2）看懂与本专业有关的简单的大样图与施工图	5%	熟悉
		（3）识别简单假山施工图标示的布局点和立面的内容	5%	了解
	2. 绘图 8%	（1）初步绘制基础的山水画	3%	掌握
		（2）绘制简单造型施工草图	5%	熟悉
专业知识 60%	1. 工艺知识 15%	（1）一般工艺规程的要求	7%	掌握
		（2）与本工种有关的简单的工艺流程	8%	熟悉
	2. 材料 15%	（1）常用石材的名称、品种及主要产地	5%	熟悉
		（2）鉴别常用石材优劣的方法	5%	掌握
		（3）常用石材的理化性能知识	5%	熟悉
	3. 置石 15%	（1）简单结构石山的基本知识	5%	熟悉
		（2）简单石料的起吊重心点、定位、固定	5%	掌握
		（3）简单石山的镶石与勾缝	5%	掌握
	4. 叠山景观处理常识 15%	（1）一般山水盆景的布局原理及制作方法	8%	掌握
		（2）借景的基本要求	7%	了解

续表

项目	鉴定范围	鉴定内容	鉴定比重	备注
相关知识 15%	1. 常用工具 8%	（1）常见工具的名称、种类、用途	4%	掌握
		（2）各种绳扣的联结和滑轮应用原理	4%	掌握
	2. 安全知识 7%	（1）有关的安全操作规程	3%	熟悉
		（2）石材安全搬运及堆放的规定	4%	掌握
技能要求			**100%**	
操作技能 70%	1. 单体假山 10%	（1）单体假山的示意图和施工图	3%	掌握
		（2）堆叠小型简单的单体假山	3%	
		（3）堆砌组石、点缀、堆叠花台、踏步、驳岸等的施工操作要领	4%	掌握
	2. 估重、起吊、扣绳、定位 30%	（1）对常用的石材根据其形态及质地估算重量	6%	熟悉
		（2）正确绑扎木制起吊架，配合做好机械起重设备的辅助安装	8%	掌握
		（3）在中、高级技工的指导下找准峰石的重心点，正确定位	8%	掌握
		（4）各种扣绳的正确运用，在中、高级技工的指导下，完成钢丝绳的捆绑及叉接	8%	掌握
	3. 堆叠、镶石、勾缝 20%	（1）在中、高级工带领下进行简单假山的堆叠，不同风格造型山体镶石、勾缝操作要领	10%	熟悉
		（2）在中、高级技工带领下对简单假山独立进行镶石及勾缝	10%	掌握
	4. 排险、修复 10%	在中、高级工指导下对一般危险的假山进行排险和修复	10%	熟悉

续表

项　目	鉴定范围	鉴　定　内　容	鉴定比重	备注
工具设备的使用及维护 15%	1. 常用工具 8%	(1) 本工种常用工具的使用和保养	4%	掌握
		(2) 特殊小工具制作	4%	掌握
	2. 机具设备 7%	(1) 起吊设备的正确使用和保养	5%	掌握
		(2) 对设备零备件的保管和维护	2%	熟悉
安全生产及其他 15%	1. 安全生产 8%	(1) 安全施工的一般规定	2%	熟悉
		(2) 石料运输、堆放、吊装的安全措施	3%	熟悉
		(3) 防止各类事故发生的措施	3%	熟悉
	2. 文明施工 7%	(1) 文明施工的一般规定	3%	熟悉
		(2) 在开放园林、景区等处施工时自觉按文明施工规范要求做到围栏作业，工完场清	4%	掌握

（二）技能鉴定试题范例

理论部分（共 100 分）

1. 是非题（对的画“√”，错的画“×”，正确答案写在每题括号内，每小题 1 分，共 25 分）

（1）优质太湖石的特征是：山石外观曲线流畅，有两个以上可选石面或角度，有一定的造型，玲珑剔透，纹理疏密通顺。（　）

（2）优质黄石的特征是：山石呈四方、长方、扁方，纹理竖横及棱角明显。（　）

（3）假山基础一般根据山体造型及承重做成不规则形状基础，通常采用的方法有：素土、碎石夯实、铺垫大块石、夯石碇，空隙浇灌混凝土或水泥砂浆、全部用钢筋混凝土做成等。（　）

（4）刹垫是叠石的关键，起到固定、传递重心的作用，垫片的形状一般要求一边薄一边厚，有条件应选用花岗岩石料。（ ）

（5）叠石操作时允许采用多层叠刹架空固定置石。（ ）

（6）镶石用水泥砂浆要求有一定的黏性且快干，水泥砂浆的配比不低于1∶3。（ ）

（7）花台是叠石中最常用的造型之一，挡土是主要的功能。（ ）

（8）山脉在仿自然叠山中必不可少。（ ）

（9）勾缝需经过洗石、嵌浆、配色、勾抹、紧密、干刷湿刷、养护七道工序。（ ）

（10）太湖石拼接缝加色量理想的做法是取叠石体上的附着泥，加水及对份水泥调成色浆后直接刷在未干的拼接缝上，经吸附干燥后可保持多年不褪色。（ ）

（11）因石制宜、重心准确、受力均匀、扣结牢固、穿绕便解是绳索捆石的基本要求。（ ）

（12）机械吊装时只要绳索栓石牢固都可用单索。（ ）

（13）假山结构中的假山基石是指山体连接基础的起脚石。（ ）

（14）假山山体的所有部分都承重。（ ）

（15）配制砂浆所用各种原材料的用量比例称为配合比。（ ）

（16）假山勾缝的顺序是先下后上、先里后外、先暗后明、先横后竖。（ ）

（17）组合旱假山的施工顺序是：识图、放线、挖基槽、

筑基础、置基石、分层堆叠、结顶、镶石、勾缝、养护、去支撑、覆土、植绿、清场。（ ）

（18）山洞顶设置补强钢筋混凝土顶梁是为了增强洞顶的刚度和洞壁的稳定性，增强对地震力、基础的不均匀沉降的抵抗力。（ ）

（20）假山堆叠的稳定性主要依靠自身的石压结构及整体垂直重心准确，因此对水泥没有失效期的要求。（ ）

（21）山体分别在水平投影面、正立投影面、侧立投影面上的正投影，即为物体的三视图。（ ）

（22）山水组合假山的内置水槽、积水潭、接水潭砌筑完后的保水试验是蓄水 12 小时让水泥、石体自然吸足水；再蓄满水，24 小时后失水小于 10%。（ ）

（23）组合假山拆脚手架及支撑时，可站在山体顶端上进行。（ ）

（24）敲打垫刹片时锤击正方向 180℃ 范围内应无作业人员，以防石片飞击伤害。（ ）

（25）假山主峰一般应立在正中。（ ）

2. 选择题（把正确答案的序号填在各题横线上，每题 1 分，共 25 分）

（1）块石基础是用没有造型利用价值的假山石或花岗岩废条石、块石等砌筑。块石基础底面应为____。

A. 自然搭接

B. 基础上面找平允许底部留有空隙

C. 所有石块平面向下

D. 石块平面向下，缝隙用碎石片及水泥砂浆或混凝土灌实，联成整体

（2）驳岸高低错落有致，层次分明，立面进出有凹凸，

曲线流畅自然，贴水步石放置牢固，山体走向基本一致，行状和纹理融通一致，质量应评为____。

A. 不合格 B. 合格 C. 优良 D. 精品

(3) 驳岸的作用是____。

A. 挡土、护坡　　　B. 使山与水自然结合

C. 挡土造景　　　　D. 挡土、理水、配景

(4) 竖石峰的垂直重心角度允许偏差____。

A.5° B.10°～15° C.10°～20° D.5°以内

(5) 假山施工选用的水泥强度等级有 32.5、42.5、52.5、62.5，最常用的水泥是____。

A.32.5 B.42.5 C.52.5 D.62.5

(6) 以太湖西山太湖石原产地为例，1 立方米太湖石重量是____。

A.2t B.2.5～2.7t C.3t D.3.5t

(7) 石笋含土易折断，其运输或层堆合适的横向垫空间距每档为____。

A.40cm B.50cm C.100cm D.30cm

(8) 特置峰石一般均应小端向下，为使立峰稳固、安全、美观最常用的方法是____。

A. 将峰石小端修凿成榫头状，另在基座上凿榫眼安装

B. 矫正峰石自身重心，垫刹稳定，外用假山面石及高标号水泥做斜坡镶石镶贴

C. 在峰石基脚上直接勾缝

D. 用假山石做造景加固

(9) 假山在造园中最主要的作用是____。

A. 对景　　　　　　B. 借景

C. 造景　　　　　　D. 配景、衬景、造景

（10）湖石类型假山勾缝的重点是____。

A. 密实、平伏

B. 饱满、收头完整

C. 所有的缝隙满勾

D. 勾缝材料与山石衔接自然，顺沿拼石的轮廓曲线走向，接缝细腻

（11）在空间较小的庭院里吊装壁山，常选的吊装方法是____。

A. 三脚架吊装　　B. 人字架吊装

C. 工字架吊装　　D. 固定四脚架

（12）施工作业中的挑石，其悬出部分不得大于山石长度的____。

A.1/2　B.4/5　C.2/3　D.1/3

（13）假山的设计标高因受材料限制，环境条件及实际效果的影响，一般允许实际与图纸有误差，其合适的尺寸幅度为____。

A.10～20cm

B.30cm

C.10cm 以内

D. 根据实际造型与环境结合的效果确定

（14）用于固定立峰的顶撑上端受力点应在峰石高度的____。

A.1/2 以上　B.2/3　C.4/5　D. 顶端

（15）在南方古典园林中，堆叠障景假山采用较多的置式是____。

A. 群置　B. 散置　C. 引置　D. 对置

（16）安装假山洞顶、拱桥架空石时，其 AB 两端每端

搭接最少不小于____cm。

A.5　　B.30　　C.20　　D.40

(17) 镶石用的砂浆，一般使用的是____砂。

A. 粗　　B. 中　　C. 细　　D. 混合

(18) 勾缝水泥砂浆的标准配比是____。

A.1∶1　　B.1∶25　　C.1∶1.5　　D.1∶3

(19) 吊装立峰时矫正重心最稳妥的方法是____。

A. 移准起吊绳扣的重心位置

B. 抽移刹垫矫正垂直度

C. 横向推拉峰石

D.A、B分步操作

(20) 园林中设置山石几案的作用是____。

A. 室外山石器设

B. 供游人小憩

C. 与造景紧密结合

D. 具有观赏与实用价值，与周围环境配景

(21) 水泥硬结的终凝时间不迟于____。

A.10 小时　B.12 小时　C.20 小时　D.24 小时

(22) 强度等级为 42.5 的普通水泥，28 天的标准抗压强度为____ kg/cm^2。

A.32.5　　B.42.5　　C.52.5　　D.62.5

(23) 双人抬石采用活绳扣放滑绳，其首要安全条件是____。

A. 双人受力均匀，体位准确，握绳手与抬杠保持适当距离

B. 快速放绳

C. 抬行中由他人握绳

D. 置石下方无作业人员

(24) 施工中移动三脚架最安全和方便的方法是____。

A. 单脚逐一移动　　　　B. 两脚同时移动

C. 三脚同时抬空搬移　　D. 倒架重新搭设

(25) 花台不可缺少的部分是____。

A. 层次　　　　　　　　B. 山的余脉

C. 配竖石峰　　　　　　D. 高低起伏

3. 计算题（每题 10 分，共 20 分）

(1) 按施工立面图用太湖石堆叠一段长 20m，平均高度 2m，立面凹突平均厚度为 1.5m 的驳岸，大致需要多少吨太湖石？

已知：每立方米太湖石的重量为 2.7t；

(2) 已知水泥砂浆的配比为 1:3，每搅拌 200kg 水泥应配多少砂子？

4. 简答题（每题 5 分，共 30 分）

(1) 假山的定义是什么？

(2) 力的三要素是什么？

(3) 太湖石、黄石优劣的主要特征是什么？

(4) 列出假山施工常用的主要大型工具及一般工具。

(5) 常用的绳扣联结有哪几种？

(6) 假山作业人员安全守则主要有哪几条？

实际操作部分（共 100 分）

题目：堆叠湖石单组花坛或堆叠黄石小品一组

考试项目及评分标准

序号	考核项目	检查方法	测数	允许偏差	评分标准	满分	实测记录	得分
1	选石重心	起吊或提空测试	现场选定		拖地每点扣 6 分;滑绳扣 6 分;绳扣选择有误扣 3 分	15 分		

续表

序号	考核项目	检查方法	测数	允许偏差	评分标准	满分	实测记录	得分
2	刹垫片	实测	任意		刹垫片外沿突出每点扣3分；架空每点扣4分；超过三层每层扣2分	10分		
3	定位	目测	任意		松动每点扣2分；叠石形状摆放不正或重心不正每块扣5分	10分		
4	组合	目测	任意		色泽不统一扣4分；主次不分扣6分	10分		
5	层次、立面	目测	任意		交叉、引退自然，前底后高，组合流畅（并列、无起伏变化扣3～5分）	10分		
6	镶石	目测	任意		每点扣一分，如现场受石材条件限制，镶石拼接自然，线条流畅，脉络通顺，可酌情减扣色泽纹理分）	5分		
7	勾缝	目测	任意		表面平伏，边缘与石体自然过渡，显出石缝、配色贴近石体本色，留出竖缝自然准确（勾缝断头、不收尾、配色不准确、显痕、每点扣1分；竖缝勾、留不准确每点扣2分）	5分		

续表

序号	考核项目	检查方法	测数	允许偏差	评分标准	满分	实测记录	得分
8	外观总体	目测	任意		制作精细，镶石、勾缝轮角分明，置石横平竖直，湖石层次分明，线条简洁，结构组合自然，造型符合图纸设计要求；留有植绿空隙	15分		
9	工艺操作规程				错误无分，局部有误扣1～9分	10分		
10	安全生产				有事故无分，有隐患扣1～4分	5分		
11	文明施工				脱手清不做扣5分	5分		
12	工时				3m以下单组假山框架两个工作日（视高度、相石、勾缝、适当增加工时）	不设定		

评分说明： 主要考评初级工的操作基本技能，侧重操作过程的熟练程度［包括：石材选定中心、绳索捆绑、绳扣联结、刹垫片的敲打技巧、石块定位的准确与稳固、石与石拼接、镶石、勾缝，以及单体假山的整体外观造型与一般纹理要求。

二、中级工

（一）技能鉴定规范的内容

项　目	鉴定范围	鉴　定　内　容	鉴定比重	备注
知识要求			**100%**	
基本要求 25%	1. 识图、制图 18%	（1）看懂组合假山的叠石施工图纸	4%	掌握
		（2）看懂较复杂的假山平面布置图	4%	掌握
		（3）了解造型结构与选石的要求	3%	了解
		（4）看懂常用简单工具图	3%	熟悉
		（5）绘制组合假山立面施工草图	4%	掌握
	2. 力学的基本知识 7%	（1）堆叠假山的一般力学原理	3%	熟悉
		（2）机械起重设备的应用参数计算	4%	掌握
专业知识 60%	1. 工艺知识 15%	（1）堆叠假山的工艺流程	7%	熟悉
		（2）假山工艺常采用的艺术处理手法	8%	掌握
	2. 材料 15%	（1）常用石材的特征、质地、适用范围	5%	掌握
		（2）根据造型挑选石材的艺术要求	5%	掌握
		（3）不同艺术风格造型选石、镶石的操作要领及技能	5%	熟悉
	3. 置石 15%	（1）各类水、旱假山不同基础的处理方法	5%	掌握
		（2）多组群体假山堆叠的施工顺序及操作要领	5%	掌握
		（3）各类假山造型的主要特征及施工方法	5%	掌握
	4. 叠山景观处理常识 15%	（1）比较复杂的山水盆景的制作	5%	掌握
		（2）一般叠石配景与借景处理	6%	掌握
		（3）不同环境借景的基本要求	4%	熟悉

续表

项　目	鉴定范围	鉴　定　内　容	鉴定比重	备注
相关知识 15%	1. 机械吊装，堆叠施工 8%	（1）常见工具的名称、种类、用途	3%	掌握
		（2）各种钢丝绳扣、卡的联结和用机械吊装假山石的方法	3%	掌握
		（3）水泥快干剂和砂浆配色在不同季节的使用知识	2%	熟悉
	2. 假山施工质量保证措施 7%	（1）本职业质量保证措施	3%	掌握
		（2）防止质量事故的预案知识	2%	熟悉
		（3）堆叠假山中易发生质量问题的处理方法	2%	掌握
技能要求			**100%**	
操作技能 70%	1. 基础放线制作 10%	（1）按单体假山的施工图现场放线	4%	掌握
		（2）根据不同地基条件及假山体量、造型提出并正确选择基础施工方案	6%	熟悉
	2. 堆叠拼峰、旱洞、瀑布等组合假山 20%	（1）在高级工指导下进行中型假山的堆叠，熟练掌握并组合运用各种具体操作技法	10%	熟练
		（2）比较系统完整地了解和掌握“驳岸、瀑布、壁山、立峰、旱洞”等组山造型要求、施工顺序和方法	10%	掌握
	3. 大型群体组合假山辅助操作 15%	（1）正确安装专用吊装设备，并独立指挥较大假山石的吊装	7%	掌握
		（2）配合高级工完成大型组合山体的分段作业的施工，达到总体造型要求	8%	掌握

续表

项　目	鉴定范围	鉴　定　内　容	鉴定比重	备注
操作技能 70%	4．石桥、山洞、悬挑等操作10%	（1）准确运用力学原理独立完成置、安、连、接、斗、挎、拼、悬、夹、剑、卡、垂、贴、挑、撑、叠、竖、垫、刹、压、钩、挂、拱、绮、缀、飘等操作要领	6%	掌握
		（2）上述工艺流程的顺序、技术要领、特殊用材的选定	4%	掌握
	5．选石、拼接 5%	按造型选定用石的最佳利用面和拼接方法	5%	掌握
	6．复杂和危险假山的排除及修复 10%	（1）复杂和危险的假山抢修排险	4%	掌握
		（2）按原来的风格修复毁废的假山	4%	掌握
		（3）抢修复杂危险假山的技术要求及相关保护	2%	熟练
工具设备的使用与维护 15%	常用工具、机具设备 15%	（1）本工种常用工具、机具设备的正确使用和维修和保养	8%	掌握
		（2）对设备零备件选定的质量保证及保管和维护	4%	掌握
		（3）常用钢丝绳、扣卡连接件选定	3%	掌握
安全生产及其他 15%	1．安全生产 8%	（1）安全施工的一般规定	2%	掌握
		（2）石料运输、堆放、吊装的安全措施	3%	掌握
		（3）防止各类事故发生的措施	3%	掌握
	2．文明施工 7%	（1）文明施工的要求和措施	3%	掌握
		（2）班组文明施工作业	4%	掌握

技能鉴定试题范例

理论部分（共 100 分）

1. 是非题（对的打“√”，错的打“×”，每小题 1 分，将正确答案写在每题括号内，共 25 分）

(1) 峰石竖立的稳定性主要是依靠石峰自身的垂直重心定位准确。（　）

(2) 组合假山的基石一般多以平面朝下放置，有一定的高低错落，可以使基层石与上置石咬合更加牢固，增强横竖结构及基础点面的均衡受力。（　）

(3) 太湖石不论形状如何，只要有空洞就是上乘材料。（　）

(4) 叠山理水是指对自然山水的概括、提炼和再现，写仿自然，创造出自然式的山水景观。（　）

(5) 清朝叠山大师是戈裕良，其代表作品是苏州“环秀山庄”湖石假山和常熟“燕园”黄石假山。（　）

(6) 苏州园林应以假山为主体。（　）

(7) 叠一个稳固的山洞，除有足够地基承力外，操作时只需重心准确，不需要有足够的洞壁反作用推力。（　）

(8) 修复历史名园的假山，应遵循以“修旧如旧，整旧如故”的原则。（　）

(9) 现存以体现写实山水的假山代表作是苏州“狮子林”的假山。（　）

(10) 假山作品的好坏取决于体量得当，手法讲究，形纹通顺。（　）

(11) 因石导势是假山堆叠中重要的因素之一。（　）

(12) 用湖石或黄石叠造的石壁称为石壁山。（　）

（13）上乘的独峰，是依据皱、透、瘦、漏来评判。（ ）

（14）山无论大小必须棱角分明、高低起伏，而最高点不应位于中央。（ ）

（15）假山上植树应考虑树的位置、疏密、姿态、成长速度等，才能发挥较好的陪衬作用。（ ）

（16）假山是仿造真山的艺术再现，在造园中独立成景，不需要考虑园内建筑、植物、水、光等因素。（ ）

（17）现代假山以写实写意为主，必须体现“透、瘦、皱、漏”。（ ）

（18）人工造景的瀑布、滴水，其落水形状取决于供水量的大小。（ ）

（19）堆叠组合假山挑选的石块只要考虑造型就可以。（ ）

（20）在临水池叠置崖壁基石、水洞边的水面石应与贴水步道同步考虑。（ ）

（21）现存以体现写实山水的假山代表作是苏州“狮子林”的假山。（ ）

（22）现代假山是以模仿真山而造，成功的假山作品应是源于自然，高于自然。（ ）

（23）假山造型框架构成后，必须把所有的缝隙处全部相补才能显出山形的完整。（ ）

（24）镶石的要求是：色泽一致，纹理吻合，脉络相通，连接自然，宛如一石。（ ）

（25）运用选定的石材，按设计造型须符合力学原理，并考虑山岳组成要素。（ ）

2. 选择题（把正确答案的序号填在各题横线上，每题1

分，共 25 分）

（1）用目测方法挑选组合拼石应掌握____。

A. 尺寸大小

B. 色泽与纹理

C. 石面与形状

D. 色泽、纹理、外曲线、体量、可利用的轮廓与拼接的角度

（2）山涧、山洞假山的设计布局中应体现____意境。

A. 高远　B. 平远　C. 深远　D. 迷远

（3）叠石过程是指____。

A. 选石、购石、运石、叠石　B. 垫、刹、拼

C. 搬运、吊装、固定　D. 开基、筑基、堆石

（4）制作假山模型的主要材料是____。

A. 水泥砂浆　B. 煤渣

C. 橡皮泥　D. 油画颜料

（5）江南三大名峰分别是“冠云峰、瑞云峰、玉玲珑”均是____遗物。

A. 宋朝　B. 唐朝　C. 明朝　D. 清朝

（6）以 1:15 比例制作室外展示假山缩微模型，主要材料采用____。

A. 假山本石　B. 水泥砂浆

C. 煤渣　D. 木料

（7）明清时期的临水驳岸假山基础多采用____。

A. 石桩　B. 石碇桩　C. 砂桩　D. 木桩

（8）刹垫操作时必须____。

A. 取石合适　B. 左右横拿

C. 上下托拿　D. 薄面朝里

(9) 搅拌混凝土的中碎石料径为____ mm。

A.30　B.40　C.50　D.60

(10) 组合黄石假山分层次施工时必须掌握的要点是____。

A. 方向交叉　B. 分层退引

C. 分组断开　D. 呈片状凹突卷叠

(11) 堆石不稳固的主要原因是____。

A. 刹垫支点不准确

B. 刹垫石不牢固，松动

C. 叠石摆放自身重心不正

D. 操作者抽绳或手作用力太大

(12) 造成假山整体沉降是____。

A. 假山石材料不好　B. 结构不合理

C. 整体重心出现偏差　D. 基础不符承重要求

(13) 远处观赏假山主要是看____。

A. 山的走向　B. 山体外形曲线

C. 山体的层次　D. 山的体量、收头、结顶

(14) 勾缝后出现走缝主要是因为____。

A. 砂浆密实不够　B. 山石走动

C. 勾空缝　D. 养护不当

(15) 环视拼峰假山整体重心的稳固与否取决于____。

A. 基础层　B. 中间层

C. 悬挑层　D. 结顶压顶

(16) 假山高层机械施工时，吊石的起落定位应由____指挥。

A. 驾驶员

B. 作业辅助人员

C. 主叠人员

D. 高层作业人员与主叠人员配合

(17) 崖壁勾缝应考虑多留____。

A. 横缝　B. 斜缝　C. 凹缝　D. 竖缝

(18) 脱空高层组合拼峰机械吊装施工时，高层作业面小，操作人员一般无退步余地，施工特殊，防止发生事故最重要的措施是____。

A. 施工现场一切作业人员必须绝对服从主叠人员的指挥

B. 检查吊装机械性能

C. 现场设临时警戒线

D. 山体用支撑加固

(19) 按照国际标准，图纸标高和总平面图的尺寸以____为单位。

A. mm　B. cm　C. m　D. km

(20) 庭院假山与地面铺设花街最理想的衔接做法是____。

A. 连成一体

B. 间断相连

C. 沿山石自然曲线留出适当空隙，用植绿分隔衬托

D. 用瓦片筑边

(21) 传统“京华式”假山的主要特征是____。

A. 仿自然山形　B. 抽象

C. 做缝讲究　D. 多以条石穿架

(22) 配选独块峰石的座基石应掌握____。

A. 纹理相配

B. 大小对衬

C. 颜色一致

D. 承重、形状、色泽、纹理、体积比例

(23) 对危险假山进行拆修，施工顺序是____。

A. 由下而上　　B. 先低后高

C. 由上而下　　D. 由里而外

(24) 旱洞假山封顶，吊装固定栓口石安全的操作方法是____。

A. 先支立备用支撑架　　B. 先卸绳索

C. 先垫刹片　　D. 垫刹与立支撑架同时进行

(25) ____是假山施工管理中的一项首要内容

A. 作业安全　　B. 工期进度

C. 经济分配　　D. 合理用料

3. 计算、绘图题（每题 10 分，共 20 分）

(1) 搬运一块方形的黄石（如图示），请用扛杆原理计算需用多少牛顿的 P 力以上才可以。

$$Q = 0.8t$$

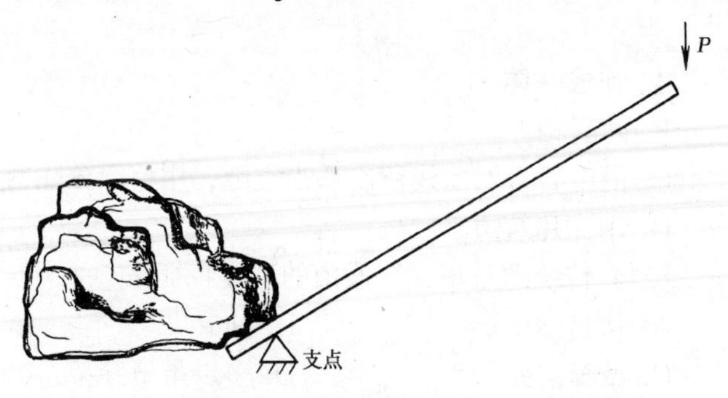

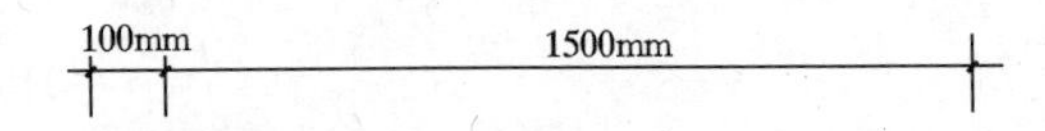

100mm　　　　　　　　　　1500mm

（2）按 1∶200 的比例绘制一组黄石壁峰假山的施工立面图（10 分）。

（参考系数：标高 3.5m；AB 直距 6.5m）

4. 简答题（每题 5 分，共 30 分）

（1）假山被称之为立体山水画，在艺术处理上通常借鉴传统山水画的皴法，请分别列出数种适用湖石、黄石假山艺术造型的皴法。

（2）假山拼峰的含义是什么？

（3）假山花坛的名词解释。

（4）什么是叠石的基本条件和重要前提，施工操作技术上应掌握哪些要领？

（5）简述叠山理水的含义

（6）人工假山的堆叠从风格和类型上分几大类，几种形式？

实际操作部分（共 100 分）

题目：堆叠标高 3m 石壁峰或双层花坛［参考设计立面图］

考试项目及评分标准

序号	考核项目	检查方法	测数	允许偏差	评分标准	满分	实测记录	得分
1	尺寸位置	目测尺量	主次及层次标高	±20cm	垂直高度不符每点扣 2 分；如整体观测达到效果，可酌情减扣	10 分		
2	重心	目测	任意		整体重心拉压准确；独块峰石竖立重心准确。（视觉石块摆放明显不正扣 1 分，去支撑松动每块（点）扣 2 分，竖峰重心不正扣 2～5 分）	10 分		

续表

序号	考核项目	检查方法	测数	允许偏差	评分标准	满分	实测记录	得分
3	外曲线	目测	任意		整体外曲线收放自然、流畅，层次、山脉走向准确(曲线不流畅或反向，每连接线段扣1~3分)	10分		
4	主次搭配	目测尺量	任意	±20cm	主次呼应，比例适当。（垂直高度不符每点扣2分；比例不当，以次夺主扣3分）	7分		
5	层次、立面	目测	任意		交叉、引退自然，前底后高，悬突凹进组合流畅，根据造型风格要求体现层次分明，皱透处理得宜（不皱或透，无起伏变化扣2~5分）	10分		
6	选石、拼接	目测	任意		按造型选定用石的利用面不准确每块扣2分；块石拼接不自然每点扣除2分	8分		
7	镶石	目测	任意		色泽、纹理一致，拼接自然，人工做洞脉络通顺(拼接曲线不流畅每点扣1分；如现场受石材条件限制，镶石拼接自然，线条流畅，纹理通顺，可酌情减扣色泽纹理分)	5分		

续表

序号	考核项目	检查方法	测数	允许偏差	评分标准	满分	实测记录	得分
8	勾缝	目测	任意		依顺石型勾缝，表面及转角出饱满，边缘与石体自然过渡，留空处勾洞，凹处平伏，立体感强，留出竖缝自然准确（勾缝断头、不收尾、不饱满每点扣1分；粗糙、显痕、每点扣1分；竖缝勾、留不准确每点扣2分）	5分		
9	外观总体	目测	任意		造型完整，线条流畅，风格特征明显，制作精细，镶石拼接自然，勾缝饱满，层次分明，线条简洁，结构组合自然，造型符合设计图纸	15分		
10	工艺操作规程				错误无分，局部有误扣1～9分	10分		
11	安全生产				有事故无分，有隐患扣1～4分	5分		
12	文明施工				脱手清不做扣5分	5分		
13	工时				3m以下单组假山框架两个工作日（视高度、镶石、勾缝、适当增加工时）	不设定		

评分说明：主要考评中级工的操作技能的熟练程度，侧重对各种造型假山的熟悉及认知理解并在自己的作品中体现，包括：对考试项目选定的图纸造型及选用的表现手法能准确体现；石与石拼接、镶石、勾缝均与选用石材及造型风格相吻合；石材最佳面和角度的利用；组合假山的外观、层次、立面、结顶、整体造型达到设计要求。中级与高级工的实际考试区别在于叠山的高与低、规模的大与小、操作的一般与复杂、全局与局部、工艺简单和复杂、技术处理手法局限与全面以及对造园综合理论水平掌握的程度。

三、高级工

（一）技能鉴定规范的内容

项　目	鉴定范围	鉴　定　内　容	鉴定比重	备注
知识要求			**100%**	
基本要求 25%	1. 识图、绘图 18%	（1）看懂洞体、理水等复杂的施工图	4%	掌握
		（2）与本工种有关的各种类别的叠石图纸	4%	掌握
		（3）与本工种有关的各种复杂草图所示的内容，局部绘制复杂结构的施工草图，根据立面图标注绘制高层及复杂结构的施工草图	6%	掌握
		（4）看懂常用简单工具图	2%	掌握
		（5）用上石表现山水画各种皴法	2%	熟悉
	2. 审核图纸 7%	（1）参加本工种施工图纸会审，能提出结构、选石、局部细化处理意见	5%	掌握
		（2）与本工种搭接相关工种局部施工图	2%	了解

续表

项　目	鉴定范围	鉴　定　内　容	鉴定比重	备注
知识要求			**100%**	
专业知识60%	1. 工艺知识18%	(1) 编制复杂的各种类型、造型假山堆叠工艺流程	5%	掌握
		(2) 参加编制大跨度单拱、柱体山洞、高层（7m以上）假山堆叠及传统流派工艺流程	5%	熟练
		(3) 编制各种类型室内外庭院叠石小品工艺流程	4%	熟练
		(4) 编制瀑布等各种复杂叠山、理水工艺流程	4%	掌握
	2. 材料14%	(1) 本专业各类石材鉴别及主要产地资源状况	4%	熟悉
		(2) 各类假山石的特征、抗压强度、主要成分及选用标准；目测重量准确率不低于90%	5%	掌握
		(3) 采用工程石料的分析、判断方法	3%	掌握
		(4) 峰石及造型石的无损搬运及标准集装箱配装	2%	掌握
	3. 土山、石山、土石相间、置石19%	(1) 石山结构及布局的基本知识	4%	掌握
		(2) 土山整形与石景互为陪衬的基本知识	3%	掌握
		(3) 土石相间的布局基本知识	3%	掌握
		(4) 置石的基本知识	2%	掌握
		(5) 山石结合体及各种技术操作手法知识	4%	掌握
		(6) 洞顶及局部钢筋混凝土补强配置处理方法	3%	熟悉
	4. 叠石传统技法、借景9%	(1) 各种传统技法及特色	6%	掌握
		(2) 叠石与环境的借景、衬景、配景	3%	掌握

续表

项　目	鉴定范围	鉴　定　内　容	鉴定比重	备注
相关知识 15%	1. 质量事故的预防和处理 5%	(1) 本工种常见质量通病及事故的预防	3%	掌握
		(2) 常见质量事故的处理方法	2%	掌握
	2. 季节施工知识 4%	(1) 水泥砂浆夏季施工养护知识、钢筋混凝土补强、冬季施工和保温知识	2%	掌握
	3. 文物保护知识 2%	与园林有关文物古迹、文化遗产的保护知识	2%	了解
	4. 绿化、美术 3%	(1) 常用绿化品种配置，假山与花街铺地的衔接基本知识	2%	
		(2) 写生与摄影采景基本知识	1%	
	5. 施工记录 2%	整理本工种图纸会审记录，以及高层、大型假山结构配置施工记录	2%	掌握
	6. 山水盆景 1%	(4) 大型山水盆景布局、堆叠知识	1%	掌握
操作要求			**100%**	
操作技能 70%	1. 庭园小品（湖石、黄石两大类）5%	门景、障景、花台、立峰、水矶、壁峰等小品工艺顺序和操作要领	5%	熟练
	2. 安装技术 5%	置、叠、掇、缀、刹、安、连、接、斗、拼、挎、悬、夹、剑、卡、拱、垂、贴、挑、撑、叠、竖、刹、垫、盖、压、钩、挂、飘的安装技术和操作要领	5%	熟练
	3. 组合假山 7%	多层组合假山堆叠制作工艺顺序和操作要领	7%	熟练

续表

项　目	鉴定范围	鉴　定　内　容	鉴定比重	备注
操作技能 70%	4．竖峰、拼峰 5%	大型 10t 以上独块峰石及 4m 以上拼峰堆叠工艺顺序和操作要领	5%	掌握 掌握
	5．山洞（水、旱）7%	跨度 3m 以上单拱结顶；立柱式双向或三向发拱结顶；二层山洞堆叠工艺顺序和操作要领	7%	掌握
	6．山石拱桥 2%	单跨贴水假山拱桥	2%	掌握
	7．叠山理水 10%	（1）水池（驳岸、石矶、岛屿、平台、水口、澄道、涧等）堆叠工艺顺序和操作要领	5%	掌握
		（2）瀑布、滴水、溪、涧、淌、涌等叠山理水工艺顺序和操作要领	5%	掌握
	8．高层假山 7%	（1）双层山洞、组合仿真山体、三叠瀑布等堆叠工艺顺序和操作要领	7%	掌握
	9．立架及支撑 7%	（1）立峰及悬挑施工立架、支撑加固及拆除的工艺顺序和操作要领	4%	掌握
		（2）山洞及大跨度发拱堆叠支撑及拆除的基本要求，操作要领	3%	掌握
	10．起重设备运用 4%	（1）三脚架、人字木、拔杆吊装基本要求 汽车吊（5～120t）、其他机械起重设备吊装基本要求	4%	掌握
	11．对初、中级工传授技能，解决难题 5%	（1）各传统流派技能的特点及操作要领；假山与水、建筑、植物、光投影的配景借景造景	2%	掌握
		（2）解决本工种操作技术难题	3%	掌握

续表

项　目	鉴定范围	鉴　定　内　容	鉴定比重	备注
操作技能 70%	12．编制方案和组织施工 6%	（1）施工方案编制	3%	熟悉
		（2）根据施工方案安排要求，合理安排劳动力、机械起重设备	3%	掌握
工具设备使用与维修 10%	工具设备 10%	（1）本专业自用工具维护保养	2%	掌握
		（2）制作特殊工具及某些连接、搭接加固铁件	2%	掌握
		（3）常用倒链、滑轮维修及钢丝绳头插接	6%	掌握
安全及其他 20%	1．安全 8%	（1）安全施工的一般规定；特殊操作高层悬挑、结顶拉正重心、脱绳、拆支撑的规定	4%	掌握
		（2）各种造型石搬运、捆绑、移位、起吊、固定的安全规定	4%	掌握
	2．安全技术措施 9%	（1）防止起吊碎裂、断角、滑绳、撞击；垫石矫正重心及保证造型整体重心垂直准确的具体措施	3%	掌握
		（2）登高、悬边、洞内、洞顶、机械吊装作业的具体措施	4%	掌握
		（3）严格检查中层承重、悬挑、发拱结顶石的质地	2%	掌握
	3．文明施工 3%	按项目不同环境要求对文明施工提出具体要求，落实有效措施	3%	掌握

(二) 技能鉴定试题范例

理论部分（共 100 分）

1. 是非题（对的画"√"，错的画"×"，将正确答案写在每题括号内，每题 1 分，共 25 分）

(1) 现代假山以写意山水为主，必须体现"透、瘦、皱、漏"。 ( )

(2) 黄石假山应体现横平竖直、雄浑古拙的风格，因此所有的缝隙必须勾抹掉。 ( )

(3) 大跨度水、旱假山洞顶面有时用钢筋混凝土配置补强，其厚度一般不应超过 20cm，否则结顶石因受压过重易出现断裂隐缝甚至断裂而一般难以补救。 ( )

(4) 工人在上外脚手架操作前，必须清理底部场地，留有退路，材料及工具等物不可放置在脚手板上，应直接放置在作业层石面上。 ( )

(5) 假山造型在一定程度上受材料的限制，施工立面图仅标示总体要求，因石而异是非常重要的因素，结构细部的处理也至关重要。 ( )

(6) 山石安装，石与石之间至少有两个接触受力点，垫石不可将石架空，特殊超过 75°摆放的上置石应予支撑保护。 ( )

(7) 针对大型假山，一项整体造型景观的施工组织设计叫做单位工程的施工组织设计。 ( )

(8) 施工组织设计中的施工平面图，是进行施工现场布置的依据。 ( )

(9) 在临水池叠置崖壁，水、旱山洞边的基石不需要与贴水步道同步考虑。 ( )

(10) 山洞立柱结顶发拱和层层悬挑的石材应有一定的

厚度及造型，搭接处不少于 20cm。（ ）

（11）叠石堆山造景从大处着眼是指掌握山体的走向和形状外曲线、层次，从细部着手是指石与石的连接、纹理、色泽、镶拼、勾缝。（ ）

（12）在组合假山层次布局上应体现平面交叉、上下立体交叉、前低后高、错落有致、主次分明相辅相成，符合主景整体结构及造型风格，与环境配景协调。（ ）

（13）支撑支架的拆除，操作人员的位置应在支撑石外边垂直投影 50cm 以外，山洞内支撑的拆除必须由外向里逐一松动，然后由里向外逐一拆除，中心顶撑或支架的拆除必须先支辅助支架，后拆受力支架。（ ）

（14）施工中大型峰石或石块的吊装必须做到一捆二吊三移四试吊，除特殊因素限制，一般情况下不可采用单绳栓石吊装。（ ）

（15）层挑石块的悬出部分没有限制，上置压石重量为挑石的一倍即可。（ ）

（16）在仿照自然山形造景中，充分理解和掌握“高远、平远、深远、迷远”的特征，经浓缩、提炼使作品更贴近自然。（ ）

（17）理水假山的堆叠，人工供水的水管、电缆铺设在立基前后都可以；预留蓄水池及水道不需要与层叠同步考虑。（ ）

（18）人工供水造景的瀑布、滴水，其落水形状取决于供水量。（ ）

（19）假山施工的脚手架搭设，因其山体外立面凹凸进出很难按标准间距搭设，同时还需承受吊装石的临时过渡摆

放，必须固定设置且有两倍于承受作业重量的支撑力。（ ）

(20) 假山是仿造真山的艺术再现，在造园中独立成景，不需考虑园内建筑、植物、水、光等因素。（ ）

(21) 土包石、石包土、土石相间、土山山形及地形骨架的形成，应考虑山岳所具有的山脊、山麓、山鞍、山顶、山坡、沟谷、山脉等要素特点，并根据环境条件有选择地组合部局，既作刻意仿造，又不过于夸张，以凝练的艺术手法再现自然山景。（ ）

(22) 对于已作防水粉刷处理水池叠石，因水池岸曲线受到限制，间断散置比满包效果要好。（ ）

(23) 太湖石资源珍稀，目前已无绝对定义上的太湖石。现选用的太湖石泛指太湖流域或浙、皖地区山上表层石，往往表层石下部埋在土中，造成色泽不统一，但一般经过两年时间的自然褪色均可逐渐淡化一致。（ ）

(24) 组合假山的基石一般多以平面朝下放置，有一定的高低错落，可以使基层石与上置石结合更加牢固，增加均衡受力结构的点和面。（ ）

(25) 只要掌握操作技能就可堆叠出各种不同类型、造型的假山。（ ）

2. 选择题（把正确答案的序号填在各题横线上，每题1分，共25分）

(1) 已知堆一组体现风格雄浑、纹理古拙的假山，有以下几种石材可供选择，其中____最合适。

A. 太湖石　B. 英石　C. 房山石　D. 黄石

(2) 在大型假山分组堆叠时，单组一至二、三层基石不仅表示出布局曲线位置，还反映该组假山的____。

A. 结构完整　　B. 主次呼应　　C. 层次走向

(3) 假山取材多样，以目前最为接近太湖石特征的安徽巢湖产石为例，每立方米的重量是____。

A.2t　　B.1.9t　　C.2.2t　　D.2.7t

(4) 假山用料的计算因每块石造型不一，石质表观密度不一，图纸设计造型不同又没有细部标示，一般难以做出精确的用料分析，对于施工实耗一般常用方法是____。

A. 按图纸计算

B. 有条件过磅

C. 由主叠师傅凭实践经验提出用料实耗数

D. 综合 A、B、C 因素确定

(5) 假山工程质量管理的工作程序是____。

A. 设计、施工、验收、评比

B. 熟悉图纸、选定用石、细化造型结构、施工操作、验收

C. 制定计划、做好记录、检查评比

(6) 全面质量管理的基本特点是____。

A. 全民性、全面性、严格性、服务性、开放性

B. 全员性、全面性、预防性、服务性、科学性

C. 全民性、科学性

(7) 一组假山施工质量一般体现在三个层面，从力学角度____最重要。

A. 基础层　　B. 中间层　　C. 结顶层

(8) 临水叠一主峰，在水池对面观赏其倒影，水面与峰高的最佳比例为____。

A.1:1　　B.2:1　　C.3:1

(9) 对于同一种石材，以下强度中____强度最小。

A. 横纹抗压　　B. 竖纹抗压

（10）盘山蹬道的堆叠顺序为____。

A. 基石——踏步石——导向扶手石——石壁基石——转向不规则步石——导向组石——蹬道不规则踏步

B. 山壁基石——蹬道踏步——相石——勾缝

C. 蹬道踏步——山壁基石——规则台阶

（11）山洞顶部补强顺序为____。

A. 清洗、32.5 级水泥（1∶2 配比砂浆）和石块相贴缝隙加固、按需加配钢筋混凝土或钢丝网、养护、洞顶覆土或砌花街

B. 在洞顶直接浇灌混凝土

C. 局部浇灌混凝土，覆土

（12）成片状悬挑及吊挂造型最理想和安全的支撑方法为____。

A. 竖顶撑

B. 横支架加固定物支垫

C. 竖顶撑与横架支垫相结和

（13）山洞填土式结顶的顺序为____。

A. 山洞内壁相石勾缝、填土分层夯实、拱叠结顶、搭接处加固、清洗、混凝土补强、养护、高压水枪或水泵冲去填土、洞内顶镶石勾缝、洞内地面处理加固，加强洞基横向对应支撑

B. 山洞内壁框架构成、填土分层夯实、拱叠结顶、搭接处加固、清洗、混凝土补强、养护、进入洞内人工清土、最后进行洞内外镶石勾缝、洞内地面处理加固，加强洞基横向对应支撑

（14）三叠瀑布假山的堆叠由下往上进行，而引水石及

水道、蓄水池的设置和处理应____。

A. 同时进行　　　　　B. 由上而下

C. 施工时穿插进行　　D. 由下而上

(15) 组和假山的布局上一般有主锋、配峰、次峰之分，其堆叠顺序应为____。

A. 先主后次　　　　　B. 先次后主

C. 主次同时交叉进行

(16) 晚清以来，浙江京华工匠叠假山被业内称之为“京华派”，其主要特点是____。

A. 模仿自然山水

B. 以条石穿架的方法迭出洞穴、迷宫、抽象的人和动物的造型

(17) 黄石假山有横叠和竖叠的风格之分，竖叠的主要特点是____。

A. 石以竖置，多留自然缝隙，拼接细腻，不作刻意悬挑、结顶，自然逼真

B. 层次分明，浑厚凝重，曲线棱角分明，交叉起伏

(18) 一般情况下，独峰的支撑加固是为了____。

A. 防止峰石固定后移位

B. 提示非作业人员勿靠近

C.A、B 兼之

(19) 在中国古典叠山理水中，瀑布、滴水是根据____区别。

A. 落水形状　　　　　B. 供水流量

C. 出水口及水道的设置

(20) 水池设置贴水步石，其间距____最合适。

A.25cm　B.40cm　C. 适合各年龄层游人跨步

（21）假山放工质量检验评定，单体工程一般按____划分。

A. 主体造型、整体重心拉压

B. 层次结构、细部处理

C. 造型、拼接、重心、结构、层次、主次与环境呼应

D. 操作岗位

（22）在各种假山造型施工中，勾缝是一项必不可少的细部工艺，主要是为了____。

A. 补、填、堵、挡山体框架的空隙

B. 连接拼石，勾通纹理，惯通脉络，增加结构强度

C. 美化细部

（23）苏州古典园林内水池假山的基础最多的是采用______。

A. 钢筋混凝土　　　　B. 条石、碎石、碎砖夯实

C. 木梅花桩上置条石　D. 木桩和石桩相间

（24）具有独立设计文件，可以独立组织施工的工程，如大型障景、山洞、水池等工程叫做____。

A. 建设项目　　　　　B. 单项工程

C. 单位工程　　　　　D. 分项工程

（25）机械吊装巨型峰石、高层安装大型结顶石，机械力臂角度内的起吊承重量必须大于被吊石重量的____。

A. 100%　　B. 60%　　C. 30%　　D. 10%

3. 计算、绘图题（每题 10 分，共 20 分）

（1）搬运一块较重的峰石（如图所示），请用杠杆原理计算需用多少 kg 的 P 力以上才可以。

$$Q = 1t$$

100　　2500mm

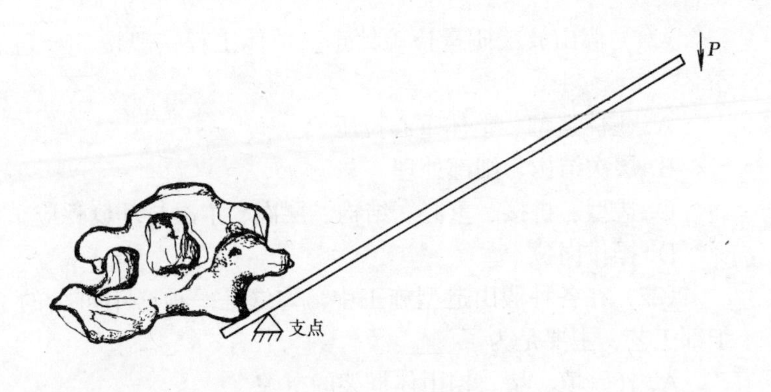

（2）按 1∶200 的比例绘制湖石或黄石组合假山的施工立面图（10 分）[参考系数：标高 6m；直距 15m]

4. 简答题（每题 5 分，共 30 分）

（1）写出 50 种假山单体或局部造型的专用术语名称？

（2）叙述湖石、黄石两大类艺术风格及主要特点；以及对在传统技法的基础上形成的流派艺术特色的认知，试举一、两种？

（3）叙述假山施工步骤和注意事项？

（4）起重运输的安全作业应注意哪些事项？试述安全措施。

（5）说明假山框架形成后出现裂缝、倾斜、走位等现象的原因，并提出预防和加固措施？

（6）以黄石假山为例，简述影响造型、外曲线、层次、细部美观的原因？

实际操作部分（共 100 分）

1. 题目：黄石组合假山

黄石驳岸水涧或石岗（含山洞口）立面[参考设计立面图]

考核标准及评分标准

序号	考核项目	检查方法	测数	允许偏差	评分标准	满分	实测记录	得分
1	尺寸位置	目测尺量	主次及层次标高	±20cm	垂直高度不符每点扣2分；如整体观测达到效果，可酌情减扣	10分		
2	重心	目测	任意		整体重心拉压准确。视觉石块摆放明显不正扣1分，去支撑松动每块（点）扣2分	15分		
3	外曲线	目测	任意		整体外曲线体现出苍劲雄浑古拙，轮角平直，层次分明，（曲线达不到横平竖直每折角线段扣1～3分）	10分		
4	主次搭配	目测尺量	任意	±20cm	主次呼应，比例适当。（垂直高度不符每点扣2分；比例不当，以次夺主扣3分）	10分		
5	层次、立面	目测	任意		交叉、引退自然，前底后高，悬突凹进组合流畅（并列、无起伏变化扣3~5分）	10分		
6	镶石	目测	任意		色泽、纹理一致，拼接自然（拼接曲线不流畅每点1分；纹理、色泽不一致 每点扣1分，如现场受石材条件限制，相石拼接自然，线条流畅，脉络通顺，可酌情减扣色泽纹理分）	5分		

续表

序号	考核项目	检查方法	测数	允许偏差	评分标准	满分	实测记录	得分
7	勾缝	目测	任意		表面平伏，边缘与石体自然过渡，显出石缝，配色贴近石体本色，留出竖缝自然准确（勾缝断头、不收尾、配色不准确、显痕、每点扣1分；竖缝勾、留不准确每点扣2分）	5分		
8	外观总体	目测	任意		风格特征明显，制作精细，镶石、勾缝轮角分明，置石横平竖直，层次分明，线条简洁，结构组合自然，造型符合设计理念	15分		
9	工艺操作规程				错误无分，局部有误扣1～9分	10分		
10	安全生产				有事故无分，有隐患扣1～4分			
11	文明施工				脱手清不做扣5分			
12	工时				3m以下单组假山框架两个工作日（视高度、相石、勾缝、适当增加工时）	不设定		

评分说明：堆叠假山的设计施工图仅提供总体造型、设计理念的参考；其最终成形的效果在一定程度上受材料、主叠师傅采用流派技法、场地施工条件，环境配景因素的影

响，与其他工种不同之处是存在一定的不确定因素，因此，考评主要针对外观整体造型、体现设计意图、工艺流程及所体现的创意及作品艺术风格。

2. 题目：湖石组合假山

山洞口立面或3.5m环视组合拼峰［参考设计立面图］

考核项目及评分标准

序号	考核项目	检查方法	测数	允许偏差	评分标准	满分	实测记录	得分
1	尺寸位置	目测尺量	主次及层次标高	±20cm	垂直高度不符每点扣2分；如整体观测达到效果，可酌情减扣	10分		
2	重心	目测	任意		整体重心拉压准确；独块峰石竖立重心准确。（视觉石块摆放明显不正扣1分，去支撑松动每块（点）扣2分，竖峰重心不正扣2～5分	15分		
3	外曲线	目测	任意		整体外曲线收放自然、流畅，层次、山脉走向准确（曲线不流畅或反向，每连接线段扣1～3分	10分		
4	主次搭配	目测尺量	任意	±20cm	主次呼应，比例适当。（垂直高度不符每点扣2分；比例不当，以次夺主扣3分）	10分		

续表

序号	考核项目	检查方法	测数	允许偏差	评分标准	满分	实测记录	得分
5	层次、立面	目测	任意		交叉、引退自然，前底后高，悬突凹进组合流畅，根据造型风格要求体现层次分明，皱透处理得宜（不皱或透，无起伏变化扣2~5分）	10分		
6	镶石	目测	任意		色泽、纹理一致，拼接自然，人工做洞脉络通顺（拼接曲线不流畅每点扣1分；如现场受石材条件限制，相石拼接自然，线条流畅，纹理通顺，可酌情减扣色泽纹理分）	5分		
7	勾缝	目测	任意		依顺石型勾缝，表面及转角出饱满，边缘与石体自然过渡，留空处勾洞，凹处平伏，立体感强（留出竖缝自然准确（勾缝断头、不收尾、不饱满每点扣1分；粗糙、显痕、每点扣1分；竖缝勾、留不准确每点扣2分）	5分		

续表

序号	考核项目	检查方法	测数	允许偏差	评分标准	满分	实测记录	得分
8	外观总体	目测	任意		造型完整，线条流畅，风格特征明显，制作精细，镶石拼接自然，勾缝饱满，层次分明，线条简洁，结构组合自然，造型符合设计理念	15分		
9	工艺操作规程				错误无分，局部有误扣1～9分	10分		
10	安全生产				有事故无分，有隐患扣1～4分			
11	文明施工				脱手清不做扣5分			
12	工时				3米以下单组假山框架两个工作日（视高度、相石、勾缝、适当增加工时）	不设定		

评分说明： 堆叠假山的设计施工图仅提供总体造型、设计理念的参考；其最终成形的效果在一定程度上受材料、主叠师傅采用流派技法、场地施工条件，环境配景因素的影响，与其他工种不同之处是存在一定的不确定因素，因此，考评主要针对外观整体造型、体现设计意图、工艺流程及所体现的创意及作品艺术风格。

第三部分
假山工职业技能岗位鉴定试题库

第一章 初级假山工

理论部分

一、是非题（对的画“√”，错的画“×”，答案写在每题括号内）

1. 优质太湖石的特征是：山石外观曲线流畅，有两个以上可选的石面或角度，有一定的造型，玲珑剔透，纹理疏密通顺。（√）

2. 优质黄石的特征是：山石呈四方、长方、扁方，纹理竖横及轮角明显。（√）

3. 假山基础一般根据山体造型及承重做成不规则形状基础，通常采用的方法有：素土、碎石夯实、铺垫大块石、夯石碇，空隙浇灌混凝土或水泥砂浆、全部用配比钢筋混凝土做成等。（√）

4. 刹垫是叠石的关键，起到固定、传递重心的作用，垫片的形状一般要求一边薄一边厚，有条件应选用花岗岩石料。（√）

5. 叠石操作时允许采用多层叠刹架空固定置石。（×）

6. 镶石用水泥砂浆要求有一定的粘性度且快干，水泥沙浆的配比不低于1∶3。（√）

7. 花坛是叠石中最常用的造型之一，挡土是主要的功能。（×）

8. 山脉在仿自然叠山中必不可少。（√）

9. 勾缝需经过洗石、嵌浆、配色、勾抹、紧密、干刷湿刷、养护七道工序。（√）

10. 太湖石拼接缝加色最理想的放法是取叠石体上的本色泥，加水及水泥调成色浆后直接刷在未干的拼接缝上，经吸附干燥后可保持多年不褪色。（√）

11. 因石制宜、重心准确、受力均匀、扣结牢固、穿绕便解是绳索捆石的基本要求。（√）

12. 机械吊装时只要绳索栓石牢固都可用单索（×）

13. 假山结构中的假山基石是指出体连接基础的起脚石。（√）

14. 假山山体的所有部分都承重。（×）

15. 配制砂浆所用各种原材料的用量比例称为配合比。（√）

16. 假山勾缝的顺序是先下后上、先里后外、先暗后明、先横后竖。（√）

17. 组合旱假山的施工顺序是：识图、放线、挖基槽、筑基础、置基石、分层堆叠、结顶、镶石、勾缝、养护、去支撑、覆土、植绿、清场。（√）

18. 山洞顶设置补强钢筋混凝土顶梁是为了增强洞顶的刚度和洞壁的稳定性，增强对地震力、基础的不均匀沉降的抵抗力。（√）

20. 假山堆叠的稳定性主要依靠自身的石压结构及整体垂直重心准确，因此对水泥没有失效期的要求。（×）

21. 山体分别在水平投影面、正立投影面、侧立投影面

上的正投影，即为物体的三视图。（√）

22. 山水组合假山的内置水槽、积水潭、接水潭砌筑完后的保水试验是蓄水12小时让水泥、石体自然吸足水；再蓄满水，24小时后失水小于10%。（√）

23. 组合假山拆脚手架及支撑时，可站在山体顶端上进行。（×）

24. 敲打垫刹片时锤击正方向180°范围内应无作业人员，以防石片飞击伤害。（√）

25. 假山主峰一般应立在正中。（×）

二、选择题（把答案序号写在各题横线上）

1. 块石基础是用没有造型利用价值的假山石或花岗岩废条块石砌筑。块石基础底面应为__D__。

A. 自然搭接

B. 基础上面找平允许底部留有空隙

C. 所有石块平面向下

D. 石块平面向下，缝隙用碎石片及水泥砂浆或混凝土灌实，联成整体

2. 驳岸高低错落有致，层次分明，立面进出有凹凸，曲线流畅自然，贴水步石放置牢固，山体走向基本一致和纹理融通一致，质量应评为__C__。

A. 不合格　　B. 合格　　C. 优良　　D. 精品

3. 驳岸的作用是__C__

A. 挡土、护坡　　B. 使山与水自然结合

C. 挡土造景　　D. 挡土、理水、配景

4. 竖石峰的垂直重心角度允许偏差__A__。

A. 5°　　B. 10°～15°　　C. 10°～20°　　D. 5°以内

5. 假山施工选用的水泥标号有32.5、42.5、52.5，

62.5 最常用的水泥是____B____。

A. 32.5　　B.42.5　　C.52.5　　D.62.5

6. 以太湖西山太湖石原产地为例，每 1m^3 太湖石重量是____B____。

A. 2t　　B. 2.5～2.7t　　C. 3t　　D. 3.5t

7. 石笋含土易折断，其运输或层堆合适的横向垫空间距每档为____B____cm。

A. 40　　B. 50　　C. 100　　D.30

8. 特置峰石一般均应小端向下，为使立峰稳固、安全、美观最常用的方法是____B____。

A. 将峰石小端修凿成榫头状，另在基座上凿榫眼安装

B. 矫正峰石自身重心，垫刹稳定，外用假山面石及高标号水泥做斜坡镶石镶贴

C. 在峰石基脚上直接勾缝

D. 用假山石做造景加固

9. 假山在造园中最主要的作用是____D____。

A. 对景　B. 借景　C. 造景　D. 配景、衬景、造景

10. 湖石类型假山勾缝的重点是____D____。

A. 密实、平伏

B. 饱满、收头完整

C. 所有的缝隙满勾

D. 勾缝材料与山石衔接自然，顺沿拼石的轮廓曲线走向，接缝细腻

11. 在空间较小的庭院里吊装壁山，常选的吊装方法是____B____。

A. 三脚架吊装　　B. 人字架吊装

C. 工字架吊装　　D. 固定四脚架

12. 施工作业中的挑石，其悬出部分不得大于山石长度的＿A＿。

A. 1/2　　B. 4/5　　C. 2/3　　D. 1/3

13. 假山的设计标高因受材料限制，环境条件及实际效果的影响，一般允许实际与图纸有误差，其合适的尺寸幅度为＿D＿。

A. 10～20cm

B. 30cm

C. 10cm 以内

D. 根据实际造型与环境结合的效果确定。

14. 用于固定立峰的顶撑上端受力点应在峰石高度的＿A＿。

B. 1/2 以上　　B. 2/3　　C. 4/5　　D. 顶端

15. 在南方古典园林中，堆叠障景假山采用较多的置式是＿C＿。

A. 群置　　B. 散置　　C. 引置　　D. 对置

16. 安装假山洞顶、拱桥架空石时，其 AB 两端每端搭接最少不小于＿C＿cm。

A. 5　　B. 30　　C. 20　　D. 40

17. 镶石用的砂浆，一般使用的是＿B＿砂。

A. 粗　　B. 中　　C. 细　　D. 混合

18. 勾缝水泥砂浆的标准配比是＿C＿。

A. 1:1　　B. 1:25　　C. 1:1.5　　D. 1:3

19. 吊装立峰时矫正重心最稳妥的方法是＿D＿。

A. 移准起吊绳扣的重心位置

B. 抽移刹垫矫正垂直度

C. 横向推拉峰石

D. A、B、分步操作

20. 园林中设置山石几案的作用是__D__。

A. 室外山石器设

B. 供游人小憩

C. 与造景紧密结合

D. 具有观赏与实用价值，与周围环境配景

21. 水泥硬结的终凝时间不迟于__B__。

A. 10 小时　B. 12 小时　C. 20 小时　D. 24 小时

22. 标号为 400 号的普通水泥，28 天的标准抗压强度为__A__ kg/cm^2。

A. 400　B. 300　C. 500　D. 250

23. 双人抬石采用活绳扣放滑绳，其首要安全条件是__A__。

A. 双人受力均匀，体位准确，握绳手与抬扛保持适当距离

B. 快速放绳

C. 抬行中由他人握绳

D. 置石下方无作业人员

24. 施工中移动三脚架最安全和方便的方法是__A__。

A. 单脚逐一移动　B. 两脚同时移动

C. 三脚同时抬空搬移　D. 倒架重新搭设

25. 花台不可缺少的部分是__B__。

A. 层次　B. 山的余脉　C. 配竖石峰　D. 高低起伏

三、计算题

1. 按施工立面图用太湖石堆叠一段长 20m，平均高度 2m，立面凹突平均厚度为 1.5m 的驳岸，大致需要多少吨太

湖石？

已知：每立方米太湖石的重量为2.7t；

2. 已知水泥砂浆的配比为1∶3，每搅拌200kg水泥应配多少斤砂子？

四、简答题

1. 假山的定义是什么？

答：以造园游览为主要目的，充分地结合其他多方面的功能作用，以土、石等为材料，以自然山水为蓝本，并加以艺术的提炼和夸张，用人工再造的山水景观。

2. 力的三要素是什么？

答：力的三要素是指力的大小、方向和作用点。

3. 太湖石、黄石优劣的主要特征是什么？

答：优质太湖石：山石外观曲线流畅、窝洞相套空透、皱纹疏密、有自然成型的造型；

劣质太湖石：山石外观呈直线、三角线、表面无皱纹、石形圆浑闷无可选造型。

优质黄石：山石呈四方、长方、扁方、横竖纹理清晰、有明显的棱角、表面纹理古拙、石形雄浑。

4. 列出假山施工常用的主要大型工具及一般工具。

答：大型工具：立杆起重架、卷扬机、摇车（绞盘）、手拉倒链、三角架、滑轮（滑车）、钢丝绳、脚手板、铁管、木船（木地龙）等。

一般工具：铁锹、大铁棒、小撬棒、2～4磅铁锤、中型方锤、尖嘴小锤、中型铁板、特制小铁板、特制专用勾缝条、喷壶、泥桶、橡皮管、小刷子、苧麻绳、棕绳、细麻油绳、木铲板、拌水泥板等。

5. 常用的绳扣连结有哪几种？

答：平结（四方结）、蚊子结、单环结、反套结、活结、小艇结、雌雄结、圆瓶结、穿套结、绞卡结等。

6. 假山作业人员安全守则主要有哪几条？

答：1）作业人员进入施工区内不允许在作业面附近玩耍；

2）日常及高层作业不准穿塑料底鞋、塑料凉鞋；

3）酗酒后不准进入工地；

4）使用绳索、倒链、扣卡件等工具前认真检查其安全性能；

5）不准立体作业；

6）机械吊装不得超重，不可盲目指挥驾驶员吊装超过立臂角度安全允许重量的石料。

实际操作部分

题目：堆叠湖石单组花坛堆叠黄石小品一组

［参考设计立面图］

考核项目及评分标准

序号	考核项目	检查方法	测数	允许偏差	评分标准	满分	实测记录	得分
1	选石重心	起吊或提空测试	现场选定		拖地每点扣6分；滑绳扣6分；绳扣选择有误扣3分	15分		
2	刹垫片	实测	任意		刹垫片外沿突出每点扣3分；架空每点扣4分；超过三层每层扣2分	10分		
3	定位	目测	任意		松动每点扣2分；叠石形状摆放不正或重心不正每块扣5分	10分		

续表

序号	考核项目	检查方法	测数	允许偏差	评分标准	满分	实测记录	得分
4	组合	目测	任意		色泽不统一扣4分；主次不分扣6分	10分		
5	层次、立面	目测	任意		交叉、引退自然，前底后高，组合流畅（并列、无起伏变化扣3～5分）	10分		
6	镶石	目测	任意		每点扣一分，如现场受石材条件限制，镶石拼接自然，线条流畅，脉络通顺，可酌情减扣色泽纹理分	5分		
7	勾缝	目测	任意		表面平伏，边缘与石体自然过渡，显出石缝，配色贴近石体本色，留出竖缝自然准确（勾缝断头、不收尾、配色不准确、显痕、每点扣1分；竖缝勾、留不准确每点扣2分）	5分		
8	外观总体	目测	任意		制作精细，镶石、勾缝轮角分明，置石横平竖直，湖石层次分明，线条简洁，结构组合自然，造型符合图纸设计要求；留有植绿空隙	15分		

续表

序号	考核项目	检查方法	测数	允许偏差	评分标准	满分	实测记录	得分
9	工艺操作规程				错误无分，局部有误扣 1～9 分	10 分		
10	安全生产				有事故无分，有隐患扣 1～4 分	5 分		
11	文明施工				脱手清不做扣 5 分	5 分		
12	工时				3 米以下单组假山框架两个工作日（视高度、相石、勾缝、适当增加工时）。	不设定		

评分标准与说明：主要考评初级工的操作基本技能，侧重操作过程的熟练程度，包括：石材选定中心、绳索捆绑、绳扣联结、刹垫片的敲打技巧、石块定位的准确与稳固、石与石拼接、镶石、勾缝，以及单体假山的外观整体造型。

第二章　中级假山工

理论部分

一、是非题（对的画“√”，错的画“×”，答案写在每题括号内）

1. 峰石竖立的稳定性主要是依靠石峰自身的垂直重心定位准确。（√）

2. 组合假山的基石一般多以平面朝下放置，有一定的高低错落，可以使基层石与上置石咬合更加牢固，增强横竖结构及基础点面的均衡受力。（√）

3. 太湖石不论形状如何，只要有空洞就是上乘材料。（×）

4. 叠山理水是指对自然山水的概括、提炼和再现，效仿自然，创造出自然式的山水景观。（√）

5. 清朝叠山大师是戈裕良，其代表作品是苏州“环秀山庄”湖石假山和常熟“燕园”黄石假山。（√）

6. 苏州园林应以假山为主体。（×）

7. 叠一个稳固的山洞，除有足够地基承力外，操作时只需重心准确，不需要有足够的洞壁反作用推力。（×）

8. 修复历史名园的假山，应遵循以“修旧如旧，整旧如故”的原则。（√）

9. 现存以体现写实山水的假山代表作是苏州“狮子林”的假山。（×）

10. 假山作品的好坏取决于体量得当，手法讲究，形纹通顺。（×）

11. 因石导势是假山堆叠中重要的因素之一。（√）

12. 用湖石或黄石叠造的石壁称为石壁山。(√)

13. 上乘的独峰，是依据皱、透、瘦、漏来评判。(√)

14. 山无论大小必须棱角分明、高低起伏，而最高点不应位于中央。(√)

15. 假山上植树应考虑树的位置、疏密、姿态、成长速度等，才能发挥较好的陪衬作用。(√)

16. 假山是仿造真山的艺术再现，在造园中独立成景，不需要考虑园内建筑、植物、水、光等因素。(√)

17. 现代假山以写实写意为主，必须体现“透、瘦、皱、漏”。(×)

18. 人工造景的瀑布、滴水，其落水形状取决于供水量的大小。(×)

19. 堆叠组合假山挑选的石块只要考虑造型就可以。(×)

20. 在临水池叠置崖壁基石、水洞边的水面石应与贴水步道同步考虑。(√)

21. 现存以体现写实山水的假山代表作是苏州“狮子林”的假山。(×)

22. 现代假山是以模仿真山而造，成功的假山作品应是源于自然，高于自然。(√)

23. 假山造型框架构成后，必须把所有的缝隙处全部相补才能显出山形的完整。(×)

24. 镶石石的要求是；色泽一致，纹理吻合，脉络相通，连接自然，宛如一石。(√)

25. 运用选定的石材，按设计造型须符合力学原理，并考虑山岳组成要素。(√)

二、选择题（把答案序号写在本题横线上）

1. 用目测方法挑选组合拼石应掌握__C__。

A. 尺寸大小

B. 色泽与纹理

C. 石面与形状

D. 色泽、纹理、外曲线、体量、可利用的轮廓与拼接的角度

2. 山涧、山洞假山的设计布局中应体现__C__意境。

A. 高远　B. 平远　C. 深远　D. 迷远

3. 叠石过程是指__A__。

A. 选石、购石、运石、叠石

B. 垫、刹、拼

C. 搬运、吊装、固定

D. 开基、筑基、堆石

5. 制作假山模型的主要材料是__C和D__。

A. 水泥砂浆　B. 煤渣

C. 橡皮泥　D. 油画颜料

6. 江南三大名峰分别是“冠云峰、瑞云峰、玉玲珑”均是__D__遗物。

A. 宋朝　B. 唐朝　C. 明朝　D. 清朝

7. 以1:15比例制作室外展示假山缩微模型，主要材料采用__A__。

A. 假山本石　B. 水泥砂浆

C. 煤渣　D. 木料

8. 明清时期的临水驳岸假山基础多采用__D__。

A. 石桩　B. 石碇桩　C. 砂桩　D. 木桩

9. 刹垫操作时必须__B__。

A. 取石合适　B. 左右横拿

C. 上下托拿　　　D. 薄面朝里

10. 搅拌混凝土的中碎石料径为__A__mm。

A. 30　　B. 40　　C. 50　　D. 60

11. 组合黄石假山分层次施工时必须掌握的要点是__A、D__。

A. 方向交叉　　　B. 分层退引

C. 分组断开　　　D. 呈片状凹突卷叠

12. 堆石不稳固的主要原因是__A__。

A. 刹垫支点不准确

B. 刹垫石不牢固，松动

C. 叠石摆放自身重心不正

D. 操作者抽绳或手作用力太大

13. 造成假山整体沉降是__D__。

A. 假山石材料不好　　　B. 结构不合理

C. 整体重心出现偏差　　D. 基础不符合承重要求

14. 远处观赏假山主要是看__B__。

A. 山的走向　　　　　B. 山体外形曲线

C. 山体的层次　　　　D. 山的体量、收头、结顶

15. 勾缝后出现走缝主要是因为__B__。

A. 砂浆密实不够　　　B. 山石走动

C. 勾空缝　　　　　　D. 养护不当

16. 环视拼峰假山整体重心的稳固与否取决于__D__。

A. 基脚层　B. 中间层　C. 悬挑层　D. 结顶压顶

17. 假山高层机械施工时，吊石的起落定位应由__D__指挥。

A. 驾驶员

B. 作业辅助人员

C. 主叠人员

D. 高层作业人员与主叠人员配合

18. 崖壁勾缝应考虑多留__D__。

A. 横缝　B. 斜缝　C. 凹缝　D. 竖缝

19. 脱空高层组合拼峰机械吊装施工时，高层作业面小，操作人员一般无退步余地，施工殊，防止发生事故最重要的措施是__A__。

A. 施工现场一切作业人员必须绝对服从主叠人员的指挥

B. 检查吊装机械性能

C. 现场设临时警戒线

D. 山体用支撑加固

20. 按照国际标准，图纸标高和总平面图的尺寸以__C__为单位。

A. mm　B. cm　C. m　D. km

21. 庭院假山与地面铺设花街最理想的衔接的做法是__C__。

A. 连成一体

B. 间断相连

C. 沿山石自然曲线留出适当空隙，用植绿分隔衬托

D. 用瓦片筑边

22. 传统“京华式”假山的主要特征是__B__。

A. 仿自然山形　B. 抽象

C. 做缝讲究　D. 多以条石穿架

23. 配选独块峰石的座基石应掌握__D__。

A. 纹理相配

B. 大小对衬

C. 颜色一致

D. 承重、形状、色泽、纹理、体积比例

24. 对危险假山进行拆修，施工顺序是＿C＿。

A. 由下而上　　B. 先低后高

C. 由上而下　　D. 由里而外

25. 旱洞假山封顶，吊装固定栓口石安全的操作方法是＿D＿。

A. 先支立备用支撑架

B. 先卸绳索

C. 先垫刹片

D. 垫刹与立支撑架同时进行

26. ＿A＿是假山施工管理中的一项首要内容

A. 作业安全　　B. 工期进度

C. 经济分配　　D. 合理用料

三、计算、绘图题（每题 10 分，共 20 分）

1. 搬运一块方形的黄石（如图示），请用杠杆原理计算需用多少牛顿的 P 力以上才可以。

$$Q = 0.8\text{t}$$

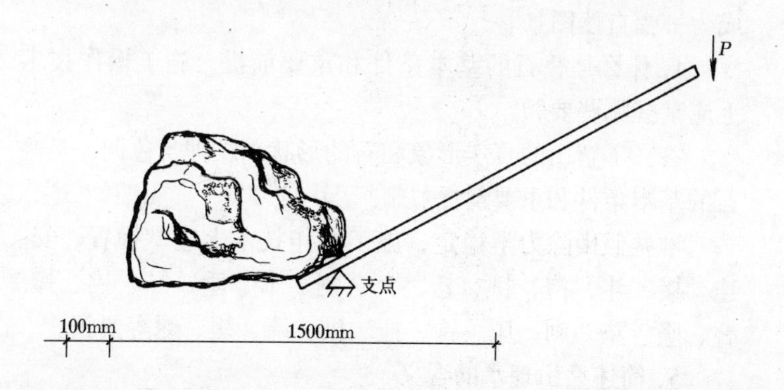

【解】 $P=\frac{100\text{mm}\times 8\text{kN}}{1500\text{mm}}=0.533\text{kN}$

答：用力超过 0.533kN 才能搬动这块石头。

2. 按 1:200 的比例绘制一组黄石壁峰假山的施工立面图（10 分）

[参考系数：标高 3.5m，AB 直距 6.5m]

四、简答题

1. 假山被称之为立体山水画，在艺术处理上通常借鉴传统山水画的皴法，请分别列出数种适用湖石、黄石假山艺术造型的皴法。

答：湖石类艺术造型：荷叶皴、披麻皴、解索皴、云头皴等。

黄石类艺术造型：大斧劈皴、小斧劈皴、折带皴等。

2. 假山拼峰的含义是什么?

答：拼峰是指用多块造型石组合堆叠成石峰。

3. 假山花坛的名词解释

答：假山花坛用湖石或黄石叠成，形式自然，平面和立面采用不规则构图，其上配置花草树木，辅以石峰、石笋等成为一幅自然图景。

4. 什么是叠石的基本条件和重要前提，施工操作技术上应掌握哪些要领?

答：了解山的真实形象和石的形状，纹理与色调，是叠石的基本条件和重要前提。

堆叠假山除力学稳定，施工操作技术上应掌握置、安、连、接、斗、挎、拼、悬、夹、剑、卡、垂、贴、挑、撑、叠、竖、垫、刹、压、钩、挂、拱、绮、缀、飘等要领。

5. 简述叠山理水的含义

答：叠山理水是指对自然山水的概括、提炼和再现，写仿自然，创造出自然式的山水景观。

6. 人工假山的堆叠从风格和类型上分几大类，几种形式？

人工假山堆叠从风格上主要分为湖石、黄石两大类；类型上又分为堆山型、石包土型、点石型、盆景型、岭南堆塑。

7. 简述叠山相石与镶石的区别。

答：相石是指叠山前按造型和创意要求，对全部配料或单块山石作用途的选定。

8. 简述湖石与黄石勾缝的不同要求。

答：湖石风格勾缝要求纹理通顺，饱满，缝边沿石走势自然，勾通洞涡，收头完整。

黄石勾缝要求平伏，不高浮石面，转角忌圆，横缝满勾，多留竖缝，根据石色适当掺色。

实际操作部分

题目：堆叠标高 3m 湖石壁峰或双层花坛［参考设计立面图］

考核项目及评分标准

序号	考核项目	检查方法	测数	允许偏差	评分标准	满分	实测记录	得分
1	尺寸位置	目测尺量	主次及层次标高	±20cm	垂直高度不符每点扣 2 分；如整体观测达到效果，可酌情减扣	10 分		
2	重心	目测	任意		整体重心拉压准确；独块峰石竖立重心准确。（视觉石块摆放明显不正扣 1 分，去支撑松动每块（点）扣 2 分，竖峰重心不正扣 2～5 分）	10 分		

续表

序号	考核项目	检查方法	测数	允许偏差	评分标准	满分	实测记录	得分
3	外曲线	目测	任意		整体外曲线收放自然、流畅，层次、山脉走向准确(曲线不流畅或反向，每连接线段扣1～3分)	10分		
4	主次搭配	目测尺量	任意	±20cm	主次呼应，比例适当。（垂直高度不符每点扣2分；比例不当，以次夺主扣3分）	7分		
4	层次、立面	目测	任意		交叉、引退自然，前底后高，悬突凹进组合流畅，根据造型风格要求体现层次分明，皱透处理得宜（不皱或透，无起伏变化扣2～5分）	10分		
6	选石、拼接	目测	任意		按造型选定用石的利用面不准确每块扣2分；块石拼接不自然每点扣除2分	8分		
7	镶石	目测	任意		色泽、纹理一致，拼接自然，人工做洞脉络通顺(拼接曲线不流畅每点扣1分；如现场受石材条件限制，镶石拼接自然，线条流畅，纹理通顺，可酌情减扣色泽纹理分）	5分		

续表

序号	考核项目	检查方法	测数	允许偏差	评分标准	满分	实测记录	得分
8	勾缝	目测	任意		依顺石型勾缝，表面及转角出饱满，边缘与石体自然过渡，留空处勾洞，凹处平伏，立体感强，留出竖缝自然准确（勾缝断头、不收尾、不饱满每点扣1分；粗糙、显痕、每点扣1分；竖缝勾、留不准确每点扣2分）	5分		
9	外观总体	目测	任意		造型完整，线条流畅，风格特征明显，制作精细，镶石拼接自然，勾缝饱满，层次分明，线条简洁，结构组合自然，造型符合设计图纸	15分		
10	工艺操作规程				错误无分，局部有误扣1~9分	10分		
11	安全生产				有事故无分，有隐患扣1~4分	5分		
12	文明施工				脱手清不做扣5分	5分		
13	工时				3m以下单组假山框架两个工作日（视高度、相石、勾缝、适当增加工时）	不设定		

评分标准与评分说明：主要考评中级工的操作技能的熟练程度，侧重对各种造型假山的熟悉及认知理解并在自己的作品中体现，包括：对考试项目选定的图纸造型及选用的表现手法能准确体现；石与石拼接、镶石、勾缝均与选用石材及造型风格相吻合；组合假山的外观、层次、立面、整体造型达到设计要求。中级与高级工的实际考试区别在于叠山的高与低、规模的大与小、操作的一般与复杂、全局与局部、工艺简单和复杂、技术处理手法局限与全面以及对造园综合理论水平掌握的程度。

第三章　高级假山工

理论部分

一、是非题（对的画"√"，错的画"×"，答案写在每题括号内）

1. 现代假山以写意山水为主，必须体现"透、廋、皱、漏"。 (×)

2. 黄石假山应体现横平竖直、雄浑古拙的风格，因此所有的缝隙必须勾抹掉。 (×)

3. 大跨度水、旱假山洞顶面有时用钢筋混凝土配置补强，其厚度一般不应超过 20cm，否则结顶石因受压过重易出现断裂隐缝甚至断裂而一般难以补救。 (√)

4. 工人在上外脚手架操作前，必须清理底部场地，留有退路，材料及工具等物不可放置在脚手板上，应直接放置置在作业层石面上。 (√)

5. 假山造型在一定程度上受材料的限制，施工立面图仅标示总体要求，因石而异是非常重要的因素，结构细部的处理也至关重要。 (√)

6. 山石安装石与石之间至少有两个接触受力点，垫石不可将石架空，特殊超过 75°摆放的上置石应予支撑保护。 (√)

7. 针对大型假山，一项整体造型景观的施工组织设计叫做单位工程的施工组织设计。 (√)

8. 施工组织设计中的施工平面图，是进行施工现场布置的依据。 (√)

9. 在临水池叠置崖壁，水、旱山洞边的基石不需要与

贴水步道同步考虑。（×）

10．山洞立柱结顶发拱和层层悬挑的石材应有一定的厚度及造型，搭接处不少于 20cm。（√）

11．叠石堆山造景从大处着眼是指掌握山体的走向和形状外曲线、层次，从细部着手是指石与石的连接、纹理、色泽、镶拼、勾缝。（√）

12．在组合假山层次布局上应体现平面交叉、上下立体交叉、前低后高、错落有致、主次分明相辅相成，符合主景整体结构及造型风格，与环境配景协调。（√）

13．支撑支架的拆除，操作人员的位置应在支撑石外边垂直线投影 50cm 以外，山洞内支撑的拆除必须由外向里逐一松动，然后由里向外逐一拆除，中心顶撑或支架的拆除必须先支辅助支架，后拆受力支架。（√）

14．施工中大型峰石或石块的吊装必须做到一捆二吊三移四试吊，除特殊因素限制，一般情况下不可采用单绳栓石吊装。（√）

15．层挑石块的悬出部分没有限制，上置压石重量为挑石的一倍即可。（×）

16．在仿照自然山形造景中，充分理解和掌握“高远、平远、深远、迷远”的特征，经浓缩、提炼使作品更贴近自然。（√）

17．理水假山的堆叠，人工供水的水管、电缆铺设在立基前后都可以；预留蓄水池及水道不需要与层叠同步考虑。（×）

18．人工供水造景的瀑布、滴水，其落水形状取决于供水量。（×）

19．假山施工的脚手架搭设，因其山体外立面凹凸进出

很难按标准间距搭设，同时还需承受吊装石的临时过渡摆放，必须固定设置且有两倍于承受作业重量的支撑力。(√)

20. 假山是仿造真山的艺术再现，在造园中独立成景，不需考虑园内建筑、植物、水、光等因素。(×)

21. 土包石、石包土、土石相间、土山山型及地形骨架的形成，应考虑山岳所具有的山脊、山麓、山鞍、山顶、山坡、沟谷、山脉等要素特点，并根据环境条件有选择地组合部局，既作刻意仿造，又不过于夸张，以凝练的艺术手法再现自然山景。(√)

22. 对于已作防水粉刷处理水池叠石，因水池岸曲线受到限制，间断散置比满包效果要好。(√)

23. 太湖石资源珍稀，目前已无绝对定义上的太湖石。现选用的太湖石泛指太湖流域或浙、皖地区山上表层石，往往表层石下部埋在土中，造成色泽不统一，但一般经过两年时间的自然褪色均可逐渐淡化一致。(√)

24. 组合假山的基石一般多以平面朝下放置，有一定的高低错落，可以使基层石与上置石结合更加牢固，增加均衡受力结构的点和面。(√)

25. 只要掌握操作技能就可堆叠出各种不同类型、造型的假山。(×)

二、选择题（把答案序号写在本题横线上）

1. 已知堆一组体现风格雄浑、纹理古拙的假山，有以下几种石材可供选择，其中__D__最合适。

A. 太湖石　　B. 英石　　C. 房山石　　D. 黄石

2. 在大型假山分组堆叠时，单组一至二、三层基石不仅表示出布局曲线位置，还反映该组假山的__C__。

A. 结构完整　　B. 主次呼应　　C. 层次走向

3. 假山取材多样，以目前最为接近太湖石特征的安徽巢湖产石为例，每立方米的重量是__D__。

A. 2t B. 1.9t C. 2.2t D. 2.7t

4. 假山用料的计算因每块石造型不一，石质比重不一，图纸设计造型不同又没有细部标示，一般难以作出精确的用料分析，对于施工实耗一般常用方法是__C__。

A. 按图纸计算

B. 有条件过磅

C. 由主叠师傅凭实践经验提出用料实耗数

D. 综合 A、B、C 因素确定。

5. 假山工程质量管理的工作程序是__A__。

A. 设计、施工、验收、评比

B. 熟悉图纸、选定用石、细化造型结构、施工操作、验收

C. 制定计划、做好记录、检查评比

6. 全面质量管理的基本特点是__B__。

A. 全民性、全面性、严格性、服务性、开放性

B. 全员性、全面性、预防性、服务性、科学性

C. 全民性、科学性

7. 一组假山施工质量一般体现在三个层面，从力学角度其中__C__最重要。

A. 基础层 B. 中间层 C. 结顶层。

8. 临水叠一主峰，在水池对面观赏其倒影，水面与峰高的最佳比例为__C__。

A. 1:1 B. 2:1 C. 3:1。

9. 对于同一种石材，以下强度中__A__强度最小。

A. 横纹抗压 B. 竖纹抗压

10. 盘山蹬道的堆叠顺序为 A

A. 基石——踏步石——导向扶手石——石壁基石——转向不规则步石——导向组石——蹬道不规则踏步

B. 山壁基石——蹬道踏步——相石——勾缝

C. 蹬道踏步——山壁基石——规则台阶

11. 山洞顶部补强顺序为 A 。

A. 清洗、32.5 级水泥（1:2 配比砂浆）和石块相贴缝隙加固、按需加配钢筋混凝土或钢丝网、养护、洞顶覆土或砌花街

B. 在洞顶直接浇灌混凝土

C. 局部浇灌混凝土，覆土

12. 成片状悬挑及吊挂造型最理想和安全的支撑方法为 C 。

A. 竖顶撑

B. 横支架加固定物支垫

C. 竖顶撑与横架支垫相结和

13. 山洞填土式结顶的顺序为 A 。

A. 山洞内壁相石勾缝、填土分层夯实、拱叠结顶、搭接处加固、清洗、混凝土补强、养护、高压水枪或水泵冲去填土、洞内顶镶石勾缝、洞内地面处理加固，加强洞基横向对应支撑

B. 山洞内壁框架构成、填土分层夯实、拱叠结顶、搭接处加固、清洗、混凝土补强、养护、进入洞内人工清土、最后进行洞内外镶石勾缝、洞内地面处理加固，加强洞基横向对应支撑

14. 三叠瀑布假山的堆叠由下往上进行，而引水石及水道、蓄水池的设置和处理应 C 。

A. 同时进行　　　　B. 由上而下

C. 施工时穿插进行　D. 由下而上

15. 组和假山的布局上一般有主峰、配峰、次峰之分，其堆叠顺序应为__A__。

A. 先主后次

B. 先次后主

C. 主次同时交叉进行

16. 晚清以来，浙江京华工匠叠假山被业内称之为“京华派”，其主要特点是__B__。

A. 模仿自然山水

B. 以条石穿架的方法迭出洞穴、迷宫、抽象的人和动物的造型

17. 黄石假山有横叠和竖叠的风格之分，竖叠的主要特点是__A__。

A. 石以竖置，多留自然缝隙，拼接细腻，不作刻意悬挑、结顶，自然逼真

B. 层次分明，浑厚凝重，曲线轮角分明，交叉起伏

18. 一般情况下，独峰的支撑加固是为了__C__。

A. 防止峰石固定后移位

B. 提示非作业人员勿靠近 C、A、B 兼之

19. 在中国古典叠山理水中，瀑布、滴水是根据__A__区别。

A. 落水形状

B. 供水流量

C. 出水口及水道的设置。

20. 水池设置贴水步石，其间距__C__最合适。

A. 25cm　B. 40cm　C. 适合各年龄层游人跨步

21. 假山施工质量检验评定，单体工程一般按__C__划分。

A. 主体造型、整体重心拉压

B. 层次结构、细部处理

C. 造型、拼接、重心、结构、层次、主次与环境呼应

D. 操作岗位

22. 在各种假山造型施工中，勾缝是一项必不可少的细部工艺，主要是为了__B__。

A. 补、填、堵、挡山体框架的空隙

B. 连接拼石，勾通纹理，惯通脉络，增加结构强度

C. 美化细部

23. 苏州古典园林内水池假山的基础最多的是采用__C__。

A. 钢筋混凝土

B. 条石、碎石、碎砖夯实

C. 木梅花桩上置条石

D. 木桩和石桩相间

24. 具有独立设计文件，可以独立组织施工的工程，如大型障景、山洞、水池等工程叫做__A__。

A. 建设项目　　B. 单项工程 C. 单位工程　　D. 分项工程

25. 机械吊装巨型峰石、高层安装大型结顶石，机械力臂角度内的起吊承重量必须大于被吊石重量的__C__。

A. 100%　　B. 60%　　C. 30%　　D. 10%

26. 一般情况下吊装假山石使用双股绳索，因特殊安装卸绳困难使用单索吊装时最主要且必不可少的安全防护措施是__B__。

A. 绳索不破损，有足够的载重安全系数

B. 必须经试吊、慢移，待石体平稳后方可缓慢起吊

C. 起吊设备操作人员必须绝对服从主叠师傅的操作指令。

三、计算、绘图题

1. 搬运一块较重的峰石（如图所示），请用扛杆原理计算需用多少牛顿的 P 力以上才可以。

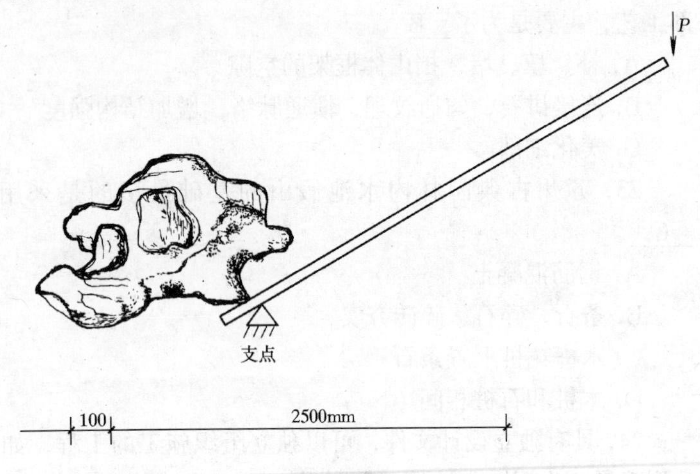

$$Q=1\text{t}\qquad P=\frac{100\text{mm}\times 10\text{kN}}{2500\text{mm}}=0.4\text{kN}$$

答：用力超过 0.4kN 才能搬动这块石头。

2. 按 1∶200 的比例绘制湖石或黄石组合瀑布假山的施工立面图（10 分）。［参考系数：标高 6m；直距 15m］

四、简答题

1. 写出 50 种假山单体或局部造型的专用术语名称？

答：（1）洞壑（2）水、旱洞（3）石室（4）池心岛

(5) 瀑布 (6) 滴水 (7) 涌泉 (8) 水洞 (9) 溪沟 (10) 涧谷 (11) 水矶 (12) 水口 (13) 山谷 (14) 山脉 (15) 余脉 (16) 悬崖 (17) 峭壁 (18) 磴道 (19) 步石 (20) 山脊 (21) 山坡 (22) 山顶 (23) 山鞍 (24) 山麓 (25) 护坡 (26) 石壁 (27) 石台 (28) 独峰 (29) 壁峰 (30) 拼峰 (31) 配峰 (32) 次峰 (33) 山峦 (34) 点石 (35) 石包土 (36) 土包石 (37) 土石相间 (38) 隐壁石 (39) 石妙小品 (40) 平台 (41) 障景 (42) (43) 屏峰 (44) 驳岸 (45) 水矶 (46) 花坛 (47) 双层花坛 (48) 壁山 (49) 石桥 (50) 盘出磴道 (51) 园山 (52) 厅山 (53) 书房山 (54) 楼山 (55) 池山 (56) 潭 (57) 石屋。

2. 叙述湖石、黄石两大类艺术风格及主要特点；以及对在传统技法的基础上形成的流派艺术特色的认知，试举一两种?

3. 叙述假山施工步骤和注意事项?

答：(1) 按设计造型图，用橡皮泥、煤屑水泥等材料，先制作微型模型；(2) 按甲、乙双方认可的微模估算工程造价；(3) 选定石材，重视独峰及上等造型石的运输，避免碰撞损坏；(4) 地基基础的合理处理，并注意养护，严防沉降裂缝发生；(5) 精心施工，既美观又力求艺术性，符合力学，尊重科学；(6) 勾缝着色，清理场地，做到文明施工；(7) 施工中应注意安全，重视粘结材料混凝土的养护期，没有足够的强度不允许拆模或拆支撑；(8) 山体拱脚应具有足够的“反堆力”，悬吊固端长度不得少于挑出长度的一倍，除非上面具有足够的压重，以防倒塌危险。

4. 起重运输的安全作业应注意哪些事项? 试述安全措施。

答：（1）必须具备的安全帽、工作服、手套等劳保用品，重视脚手架的安全检查；（2）仔细检查起重运输工具、机械的安全可靠性，着重检查绳索无损坏，机件是否齐全，严防“倒链”打滑，绞车“倒齿”，防滑装置应齐全，插销应无损坏等，应注意平时机具的维护保养；（3）作业施工时应检查，“三脚起重架”、“人字木”或缆风绳索是否牢固安好，应设有保险绳链，学会安全扎结法，每块石头起吊前必须检查捆绑重心和结口的牢固性；（4）不准超重超越，严格遵守吊装操作规范，注意平稳、文明装卸，防止石块破碎；（5）注意材料合格强度（包括撬棍、滚杠等工具），施工操作时符合力学原理，不准冒险求快；（6）起重吊物下面不准站人，吊石安装落点必须平稳，不允许快吊快放、立体作业；（7）设置安全警戒线和配置安全员，起吊设备操作人员安装人员必须绝对服从指挥。

5. 说明假山框架形成后出现裂缝、倾斜、走位等现象的原因，并提出预防和加固措施？

6. 以黄石假山为例，简述影响造型、外曲线、层次、细部美观的原因？

实际操作部分

1. 题目：黄石组合假山

黄石驳岸水涧或石岗（含山洞口）立面［参考设计立面图］

考核项目及评分标准

序号	考核项目	检查方法	测数	允许偏差	评分标准	满分	实测记录	得分
1	尺寸位置	目测尺量	主次及层次标高	±20cm	垂直高度不符每点扣2分；如整体观测达到效果，可酌情减扣	10分		

续表

序号	考核项目	检查方法	测数	允许偏差	评分标准	满分	实测记录	得分
2	重心	目测	任意		整体重心拉压准确。（视觉石块摆放明显不正扣1分，去支撑松动每块（点）扣2分）	15分		
3	外曲线	目测	任意		整体外曲线体现出苍劲雄浑、古拙，轮角平直，层次分明，（曲线达不到横平竖直每折角线段扣1～3分）	10分		
4	主次搭配	目测尺量	任意	±20 cm	主次呼应，比例适当。（垂直高度不符每点扣2分；比例不当，以次夺主扣3分）	10分		
5	层次、立面	目测	任意		交叉、引退自然，前底后高，悬突凹进组合流畅（并列、无起伏变化扣3～5分）	10分		
6	镶石	目测	任意		色泽、纹理一致，拼接自然（拼接曲线不流畅每点1分；纹理、色泽不一致 每点扣1分，如现场受石材条件限制，相石拼接自然，线条流畅，脉络通顺，可酌情减扣色泽纹理分）	5分		

续表

序号	考核项目	检查方法	测数	允许偏差	评分标准	满分	实测记录	得分
7	勾缝	目测	任意		表面平伏，边缘与石体自然过渡，显出石缝，配色贴近石体本色，留出竖缝自然准确（勾缝断头、不收尾、配色不准确、显痕、每点扣1分；竖缝勾、留不准确每点扣2分）	5分		
8	外观总体	目测	任意		风格特征明显，制作精细，镶石、勾缝轮角分明，置石横平竖直，层次分明，线条简洁，结构组合自然，造型符合设计理念	15分		
9	工艺操作规程				错误无分，局部有误扣1~9	10分		
10	安全生产				有事故无分，有隐患扣1~4分	5分		
11	文明施工				脱手清不做扣5分	5分		
12	工时				3m以下单组假山框架两个工作日（视高度、相石、勾缝、适当增加工时）	不设定		

评分说明：堆叠假山的设计施工图仅提供总体造型、设计理念的参考；其最终成形的效果在一定程度上受材料、主叠师傅采用流派技法、场地施工条件，环境配景因素的影

响，与其他工种不同之处是存在一定的不确定因素，因此，考评主要针对外观整体造型、体现设计意图、工艺流程，所体现的创意及艺术风格。

2. 题目：湖面组合假山

山洞口立面或3.5m环视组合拼峰［参考设计立面图］。

考核项目及评分标准

序号	考核项目	检查方法	测数	允许偏差	评分标准	满分	实测记录	得分
1	尺寸位置	目测尺量	主次及层次标高	±20cm	垂直高度不符每点扣2分；如整体观测达到效果，可酌情减扣	10分		
2	重心	目测	任意		整体重心拉压准确；独块峰石竖立重心准确。（视觉石块摆放明显不正扣1分，去支撑松动每块（点）扣2分，竖峰重心不正扣2~5分）	15分		
3	外曲线	目测	任意		整体外曲线收放自然、流畅，层次、山脉走向准确(曲线不流畅或反向，每连接线段扣1~3分）	10分		
4	主次搭配	目测尺量	任意	±20cm	主次呼应，比例适当。（垂直高度不符每点扣2分；比例不当，以次夺主扣3分）	10分		

续表

序号	考核项目	检查方法	测数	允许偏差	评分标准	满分	实测记录	得分
5	层次、立面	目测	任意		交叉、引退自然，前底后高，悬突凹进组合流畅，根据造型风格要求体现层次分明，皱透处理得宜列（不皱或透，无起伏变化扣2~5分）	10分		
6	镶石	目测	任意		色泽、纹理一致，拼接自然，人工做洞脉络通顺(拼接曲线不流畅每点扣1分；如现场受石材条件限制，镶石拼接自然，线条流畅，纹理通顺，可酌情减扣色泽纹理分）	5分		
7	勾缝	目测	任意		依顺石型勾缝，表面及转角出饱满，边缘与石体自然过渡，留空处勾洞，凹处平伏，立体感强（留出竖缝自然准确（勾缝断头、不收尾、不饱满每点扣1分；粗糙、显痕、每点扣1分；竖缝勾、留不准确每点扣2分）	5分		

续表

序号	考核项目	检查方法	测数	允许偏差	评分标准	满分	实测记录	得分
8	外观总体	目测	任意		造型完整，线条流畅，风格特征明显，制作精细，相石拼接自然，勾缝饱满，层次分明，线条简洁，结构组合自然，造型符合设计理念	15分		
9	工艺操作规程				错误无分，局部有误扣1～9分	10分		
10	安全生产				有事故无分，有隐患扣1～4分	5分		
11	文明施工				脱手清不做扣5分	5分		
12	工时				3m以下单组假山框架两个工作日（视高度、镶石、勾缝、适当增加工时）	不设定		

评分说明：堆叠假山的设计施工图仅提供总体造型、设计理念的参考；其最终成形的效果在一定程度上受材料、主叠师傅采用流派技法、场地施工条件，环境配景因素的影响，与其他工种不同之处是存在一定的不确定因素，因此，考评主要针对外观整体造型、体现设计意图、工艺流程，所体现的创意及艺术风格。

责任编辑：姚荣华
胡明安
封面设计：蔡宏生

统一书号：15112 • 10663
定价：**12.00** 元

中华人民共和国建设部

- 职业技能岗位标准
- 职业技能岗位鉴定规范
- 职业技能岗位鉴定试题库

假山工

中国建筑工业出版社